PHILIP'S

CW00666046

STREE'

Ceredigion

South Gwynedd

ATLAS STRYDOEDD
Sir Ceredigion a De Gwynedd

First published in 2005 by

Philip's, a division of
Octopus Publishing Group Ltd
2-4 Heron Quays, London E14 4JP

First edition 2005
First impression 2005

ISBN-10   0-540-08725-4 (pocket)
ISBN-13   978-0-540-08725-9 (pocket)

© Philip's 2005

OS Ordnance Survey®

This product includes mapping data licensed from
Ordnance Survey® with the permission of the
Controller of Her Majesty's Stationery Office.
© Crown copyright 2005. All rights reserved.
Licence number 100011710.

Printed and bound in Italy by Rotolito

Contents

Digital Data

The exceptionally high-quality mapping found in this atlas is available as digital data in TIFF format, which is
easily convertible to other bitmapped (raster) image formats.

The index is also available in digital form as a standard database table. It contains all the details found in
the printed index together with the National Grid reference for the map square in which each entry is named.

For further information and to discuss your requirements, please contact Philip's on 020 7644 6932 or
james.mann@philips-maps.co.uk

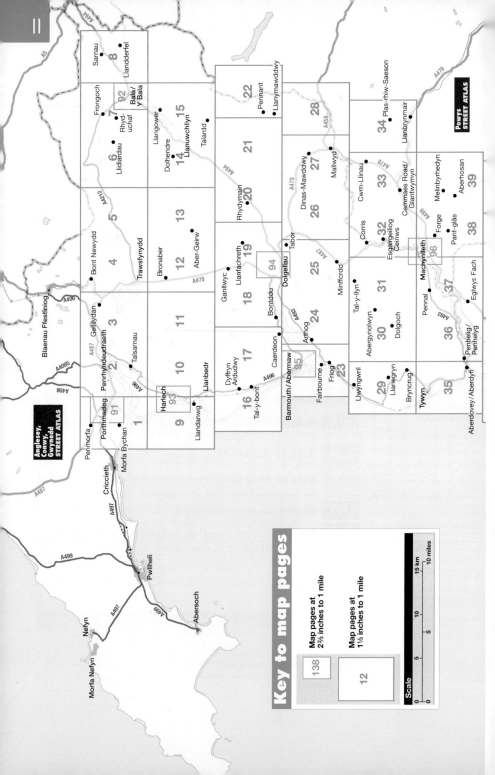

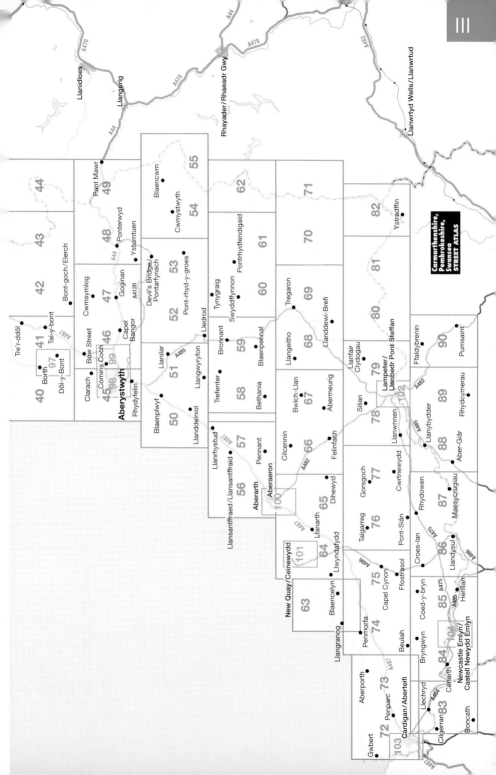

Carmarthenshire,
Pembrokeshire,
Swansea
STREET ATLAS

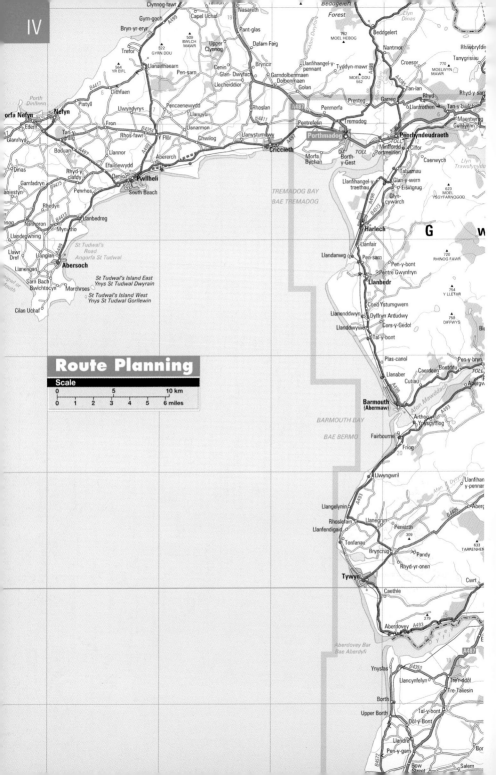

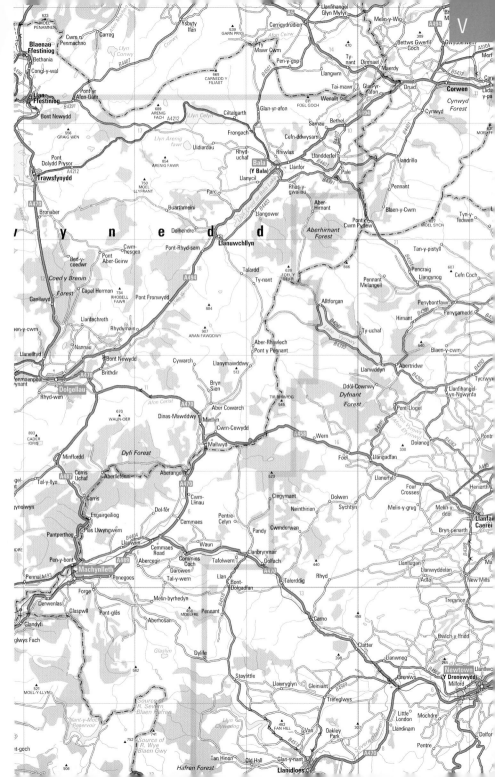

Scale

0		5				10 km
0	1	2	3	4	5	6 miles

Llanrhystu

Llansantffraed

Lianon

Aberarth

Aberaeron

Pennant

Monachty

New Quay
(Ceinewydd)

Ffos-y-ffin

Newbridge

Cilcer

Cei-bach

Maen-y-groes

Gilfachrheda

Llwyncelyn

Oakford

Ciliau
Aeron

Cross Inn

Llanarth

Ystrad
Aeron

Nanternis

Caerwedros

A487

Dihewid

Felinfach

Blaencelyn

Llwyndafydd

Mydroilyn

Temple Bar

Llangrannog

Pontgarreg

Synod Inn

Calednhydiau

Plwmp

Penbryn

Parcllyn

Tresaith

Penmorfa

Pentregat

Talgarreg

Gorsgoch

Cribyn

Cardigan I.
Ynys
Aberteifi

Gwbert

Felinwynt

Aberporth

Samau

Brynhoffnant

Bwlch-y-
fadfa

Castell-
Howell

Aber

Cwrt-
newydd

Fenwig

Blaenannerch

Tan-y-groes

Glynarthen

Capel
Cynon

Pont-siân

Cwmsychpant

Llanwnnen

Cippyn

Penparc

Tremain

Blaenporth

Rhydlewis

Ffostrasol

Maesymeillion

Rhydowen

Llanwenog

Dre-fach

Monington

Bettws
Ifan

Beulah

Hawen

Penrhiw-pâl

Coed-y-bryn

Tregroes

Llangoedmor

Ponthirwaun

Brongest

Troedyraur

Croes-lan

Prengwyn

Brynteg

Rhuddlan

Glan-
Duar

Cardigan
(Aberteifi)

St-Dogmaels

Bridgend

Pen-y-
bryn

Llechryd

Llandygwydd

Bryngwyn

Capel
Tygwydd

Masllyn

Horeb

Capel
Dewi

Maesycrugiau

Croft

Bridell

Cilgerran

Carreg-wen

Cwm-cou

Llandyfriog

Aber-banc

Penrhiw-llan

Llandysul

Aber-Giâr

Glanrhyd

Llantood

Rhos-hill

Abercych

Cenarth

Newcastle
Emlyn
(Castell Newydd
Emlyn)

Pentrecagal

Henllan

Llanllwni

Pont-gareg

Pont-siân

Llanfihangel
ar-Arth

Llangeler

Aber
Arad

Drefelin

Saron

Pentre-cwrt

Eglwyswrw

Newchapel

Penrhiwber

Felindre

Bancyffordd

Llanfair-
Nant-Gwyn

Boncath

Cilwendeg

Blaenffos

New Inn

Pontglasier

Eglwyswen

Bwlchygroes

Capel Iwan

Cwmhiraeth

Cwmpengraig

Pencader

Gwyddgrug

Penygroes

Star

Clydey

Rhôs

Gwerno

Crymych

Tegryn

Cwmorgan

Tanglwst

Dolgran

MYNYDD
RHOS-WEN

Hermon

Bryn-Iwan

Cwmduad

Alltwalis

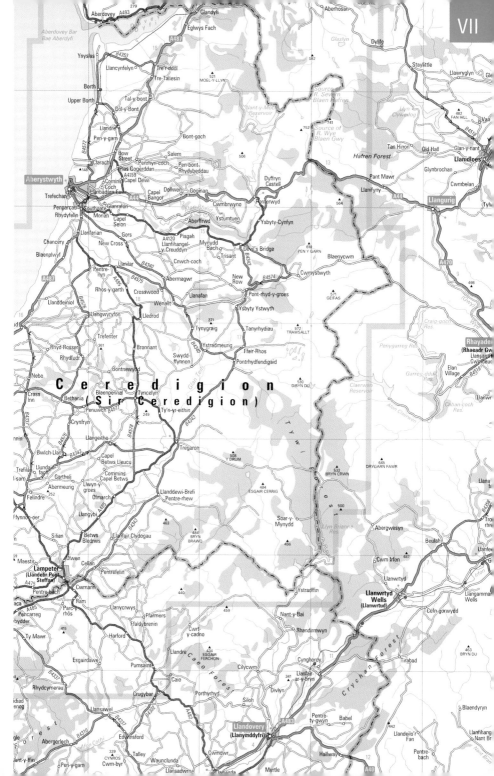

Symbol	Description	Symbol	Description
(22a)	**Traffordd** gyda rhif y gyffordd	◆	**Gorsaf ambiwlans**
	Prif dramwyfeydd – ffordd ddeuol/un lôn	◆	**Gorsaf gwylwyr y glannau**
	Ffordd A – ffordd ddeuol/un lôn	◆	**Gorsaf Dân**
	Ffordd B – ffordd ddeuol/un lôn	◆	**Swyddfa'r heddlu**
	Ffyrdd bychan – ffordd ddeuol/un lôn	✚	**Mynedfa damwain ac argyfwng i'r ysbyty**
	Ffyrdd bychan eraill – ffordd ddeuol/un lôn	H	**Ysbyty**
	Ffordd yn cael ei hadeiladu	+	**Lle o addoliad**
	Twnnel, ffordd dan orchudd	🛈	**Canolfan gwybodaeth** (a'r agor drwy'r flwyddyn)
	Trac gwledig, ffordd breifat, neu ffordd mewn ardal ddinesig	🛒	**Canolfan siopa**
	Llidiart neu rhwystr i draffig (gall fod cyfyngiadau ddim yn ddilys ar gyfer bob amser neu i bob drafnidiaeth)	P P&R	**Parcio, Parcio a chludo**
	Llwybr, llwybr march, clffordd yn agored i bob trafnidiaeth, ffordd a ddefnyddir yn lwybr cyhoeddus	PO	**Swyddfa'r post**
	Mân cerddwyr	⅄	**Safle gwersylla**
DY7	**Ffiniau codau-post**	🚐	**Safle carafan**
	Ffiniau Sir ac awdurdod unedol	▶	**Cwrs golff**
	Rheilffordd, twnnel, rheilffordd yn cael ei hadeiladu	✕	**Safle picnic**
	Tramffordd, tramffordd yn cael ei hadeiladu	Prim Sch	**Adeiladau pwysig, ysgolion, colegau, prifysgolion ac ysbytai**
	Rheilffordd ar raddfa fychan		**Ardal adeiledig**
≥ Walsall	**Gorsaf reilffordd**		**Coed**
🚇	**Gorsaf reilffordd breifat**	River Ouse	**Dŵr llanw, Enw dŵr**
● South Shields	**Gorsaf metro**		**Dim dŵr llanw** – llyn, afon, camlas neu nant
🚋 🚋	**Atalfa tram, atalfa tram yn cael ei hadeiladu**	⟨ ⊏⟩⟩⊏	**Loc, cored, twnnel**
🚌	**Gorsaf fysiau**	Church	**Hynafiaeth anrhufeinig**
		ROMAN FORT	**Hynafiaeth rhufeinig**

Acad	Academi	Inst	Institiwt	PH	Tŷ tafarn		
Allot Gdns	Gerddi ar osod	Ct	Llys cyfraith	Recn Gd	Maes chwaraeon		
Cemy	Mynwent	L Ctr	Canolfan	Resr	Cronfa ddŵr		
C Ctr	Canolfan ddinesig		hamdden	Ret Pk	Parc adwerthu		
CH	Tŷ Clwb	LC	Croesfan wastad	Sch	Ysgol		
Coll	Coleg	Liby	Llyfrgell	Sh Ctr	Canolfan Siopa		
Crem	Amlosgfa	Mkt	Marchnad	TH	Neuadd y dref		
Ent	Menter	Meml	Coffa	Trad Est	Ystad Fasnachol		
Ex H	Neuadd Arddangos	Mon	Cofgolofn	Univ	Prifysgol		
Ind Est	Ystad ddiwydiannol	Mus	Amgueddfa	W Twr	Twrddŵr		
IRB Sta	Gorsaf bad	Obsy	Arsyllfa	Wks	Gwaith		
	achub y glannau	Pal	Palas brenhinol	YH	Hostel ieuenctid		

Arwyddion dalennau cyfagos a bandiau gorymylon
94
164
Y mae lliw y saeth â'r band yn dynodi gradd y ddalen gyfagos â'r ddalen gorymyl (gwelwch y graddau islaw)

■ Y mae'r rhifau bach o gwmpas ochrau'r mapiau yn dynodi llinelli grid cenedlaethol 1 cilomedr
■ Mae'r ffin llwyd tywyll ar ochr fewn rhai tudalennau yn dynodi nad yw'r mapio yn canlyn ymlaen i'r tudalen gyffiniol

Gradd y mapiau ar y dalennau gyda rhifau glas yw
4.2 cm i 1 km • 2⅔ modfedd i 1 filltir • 1: 23810

0	¼	½	¾	1 milltir
0	250m	500m	750m	1 km

Gradd y mapiau ar y dalennau gyda rhifau gwyrdd yw
is 2.1 i to 1 km • 1⅓ modfedd i 1 filltir • 1: 47620

0	¼	½	¾	1 milltir
0	250m 500m 750m 1 km			

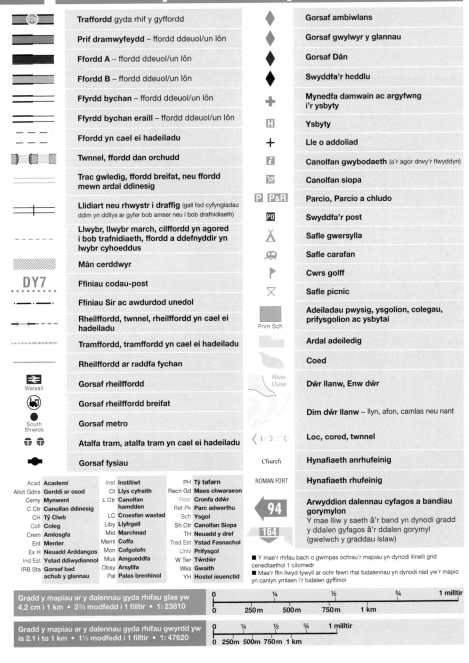

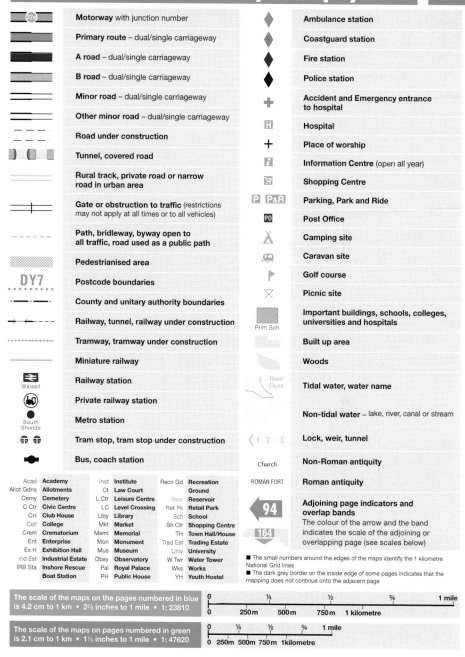

	Motorway with junction number
	Primary route – dual/single carriageway
	A road – dual/single carriageway
	B road – dual/single carriageway
	Minor road – dual/single carriageway
	Other minor road – dual/single carriageway
	Road under construction
	Tunnel, covered road
	Rural track, private road or narrow road in urban area
	Gate or obstruction to traffic (restrictions may not apply at all times or to all vehicles)
	Path, bridleway, byway open to all traffic, road used as a public path
	Pedestrianised area
DY7	Postcode boundaries
	County and unitary authority boundaries
	Railway, tunnel, railway under construction
	Tramway, tramway under construction
	Miniature railway
Walsall	Railway station
	Private railway station
South Shields	Metro station
	Tram stop, tram stop under construction
	Bus, coach station

◆	Ambulance station
◆	Coastguard station
◆	Fire station
◆	Police station
✚	Accident and Emergency entrance to hospital
H	Hospital
+	Place of worship
i	Information Centre (open all year)
🛒	Shopping Centre
P P&R	Parking, Park and Ride
PO	Post Office
Å	Camping site
⛺	Caravan site
▶	Golf course
✕	Picnic site
Prim Sch	Important buildings, schools, colleges, universities and hospitals
	Built up area
	Woods
River Ouse	Tidal water, water name
	Non-tidal water – lake, river, canal or stream
⟨ I ⟩ ⟨	Lock, weir, tunnel
Church	Non-Roman antiquity
ROMAN FORT	Roman antiquity
94	Adjoining page indicators and overlap bands
164	The colour of the arrow and the band indicates the scale of the adjoining or overlapping page (see scales below)

Acad	Academy	Inst	Institute	Recn Gd	Recreation Ground
Allot Gdns	Allotments	Ct	Law Court		
Cemy	Cemetery	L Ctr	Leisure Centre	Resr	Reservoir
C Ctr	Civic Centre	LC	Level Crossing	Ret Pk	Retail Park
CH	Club House	Liby	Library	Sch	School
Coll	College	Mkt	Market	Sh Ctr	Shopping Centre
Crem	Crematorium	Meml	Memorial	TH	Town Hall/House
Ent	Enterprise	Mon	Monument	Trad Est	Trading Estate
Ex H	Exhibition Hall	Mus	Museum	Univ	University
Ind Est	Industrial Estate	Obsy	Observatory	W Twr	Water Tower
IRB Sta	Inshore Rescue Boat Station	Pal	Royal Palace	Wks	Works
		PH	Public House	YH	Youth Hostel

■ The small numbers around the edges of the maps identify the 1 kilometre National Grid lines
■ The dark grey border on the inside edge of some pages indicates that the mapping does not continue onto the adjacent page

The scale of the maps on the pages numbered in blue is 4.2 cm to 1 km • 2⅔ inches to 1 mile • 1: 23810

| 0 | ¼ | ½ | ¾ | 1 mile |
| 0 | 250m | 500m | 750m | 1 kilometre |

The scale of the maps on the pages numbered in green is 2.1 cm to 1 km • 1⅓ inches to 1 mile • 1: 47620

| 0 | ¼ | ½ | ¾ | 1 mile |
| 0 | 250m | 500m | 750m | 1kilometre |

X

Administrative and Postcode boundaries

County and unitary authority boundaries

Postcode boundaries

Area covered by this atlas

Conwy

Pentrefelin · LL49 · LL48 · Bont Newydd · Sarnau
Penrhyndeudraeth · Llidiardau · Bala/ · Y Bala · Llandderfel
LL52 · Porthmadog · LL47 · LL41 · LL23
Talsarnau · Trawsfynydd · Llangower
Harlech · LL46 · Bronaber · Llanuwchllyn
LL45 · LL44 · Aber-Geirw · Talardd
Llanbedr · LL43 · Gwynedd
Dyffryn Ardudwy · LL42 · Llanfachreth · SY10
Tal-y-bont · Bontddu · LL40
Caerdeon · Llanymawddwy
Barmouth / Abermaw · Dolgellau · SY21
LL39 → Arthog · Mallwyd
Fairbourne · LL38 · SY20
Llwyngwril · Tal-y-llyn · Corris · Cemmaes Road / · SY21
LL37 · Glantwymyn · Llanbrynmair
Abergynolwyn
Bryncrug · LL36 · Machynlleth
Tywyn

SH · SH
SN · LL35 · Aberhosan · SN

Aberdovey / Aberdyfi
Tre'r-ddôl
Borth
Tal-y-bont · SY24 · Powys
SY18
Pant Mawr
Aberystwyth · Capel · Ponterwyd
Bangor
SY23 · Devil's Bridge / · Pontarfynach
Pont-rhyd-y-groes · Cwmystwyth
Lledrod
Llanrhystud · Pontrhydfendigaid
Llansantffraed / Llansantffraid
Aberarth · Pennant · SY25
Aberaeron
New Quay / Ceinewydd · SA46 · Llangeitho
SA45 · Llanarth · Cilcennin · Tregaron
Felinfach · SA47 · Llanddewi-Brefi · LD6
Llangranog · SA48 · Llanfair
Aberporth · Clydogau
Gwbert · Talgarreg · Lampeter / · LD5
SA43 · SA44 · Cwrtnewydd · Llanbedr Pont Steffan
Cardigan / Aberteifi · Beulah · Rhydowen · SA40 · Ffaldybrenin · Ystradffin
Cilgerran · SA38 · Llandysul · Llanybydder · Pumsaint
Boncath · SA37 · Maesycrugiau · SA20
Newcastle Emlyn / · SA39 · Rhydcymerau
Castell Newydd Emlyn

Ceredigion
(Sir Ceredigion)

Pembrokeshire
(Sir Benfro)

Carmarthenshire
(Sir Gaerfyrddin)

Scale
0 · 10 · 20 · 30 km
0 · 10 · 20 miles

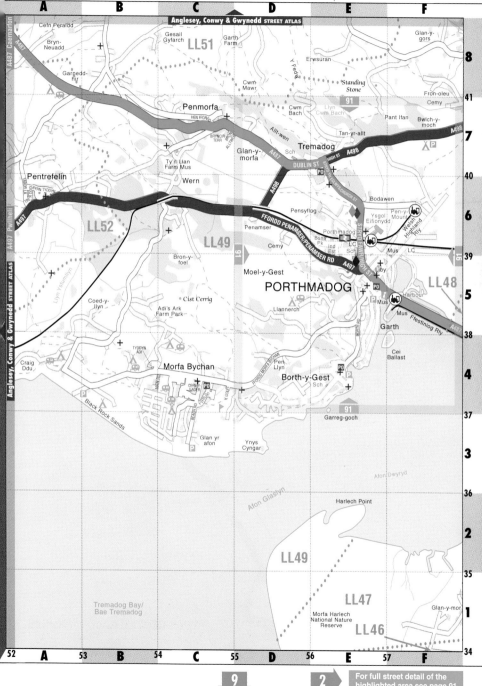

Scale: 1⅓ inches to 1 mile

For full street detail of the highlighted area see page 91.

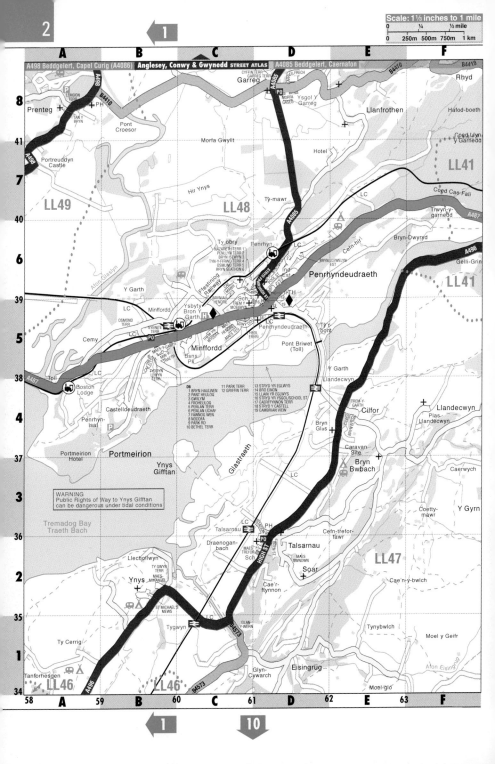

Scale: 1½ inches to 1 mile

0   ¼   ½ mile
0   250m 500m 750m 1 km

A   B   C   D   E   F

Rhyd

Garreg

Llanfrothen

Hafod-boeth

Prenteg

LONDON
TERR

PH

Pont
Croesor

Morfa Gwyllt

Coed Llyn
y Garnedd

LL41

Portreuddyn
Castle

Hotel

LL49

Hir Ynys

LL48

Coed Cae Fali

Trwyn-y-
garnedd

Ty-mawr

LC

Bryn-Dwyryd

Ty obry

Penrhyn

NAZARETH TERR 1
PENLLYN TERR 2
BRYN ISLWYN 3
TYN-Y-FFRWD TERR 4
OSMUND TERR 5
BRYN SEATHON 6

LC

Cefn-hir

BRYN LLEWELYN
EST

Gelli-Grin

LL41

Penrhyndeudraeth

Y Garth

Minffordd

LC

BRYNIAU
HENDRE

Sch

TREM Y
MOELWYN

Ysbyty
Bron Y
Garth

Penrhyndeudraeth

Cemy

OSMOND
TERR

SYENITH
TERR

PO

MAES-Y-GARTH

Minffordd

HENDRE

HEOL
ERYRI

Ty-r-
bont

Bsns
Pk

Pont Briwet
(Toll)

Boston
Lodge

Toll

LC

PRYDDYN
LLEWYN
TERR

D6
1 BRYN HAULWEN
2 PANT HEULOG
3 GWILYM
4 FRONHEULOG
5 PENLAN TERR
6 PENLAN UCHAF
7 FAWNOG WEN
8 NODDFA
9 PARK RD
10 BETHEL TERR

11 PARK TERR
12 GRIFFIN TERR

13 STRYD YR EGLWYS
14 BRO EINON
15 LLAIN YR EGLWYS
16 STRYD YR YSGOL/SCHOOL ST
17 CAERFFYNNON TERR
18 STRYD Y CASTELL
19 CAMBRIAN VIEW

Y Garth

Llandecwyn

TREM-Y-
GARTH

Cilfor

Llandecwyn

Plas-
Llandecwyn

Castelldeudraeth

Penrhyn-
isaf

Bryn
Glas

Caerwych

Caravan
Site

Bryn
Bwbach

Portmeirion
Hotel

Portmeirion

Ynys
Gifftan

Glastraeth

LC

Cefn-trefor-
fawr

Y Gyrn

Coetty-
mawr

WARNING
Public Rights of Way to Ynys Gifftan
can be dangerous under tidal conditions

Tremadog Bay
Traeth Bach

Talsarnau

PH

PO

HIGH ST

Talsarnau

Soar

MAES
BWNOWN

LL47

Llechollwyn

TY GWYN
TERR

MAES
MHANGE

Ynys

ST MICHAEL'S
MEWS

Draenogan-
bach

MAES
TREFOR
Sch

Cae'n-y-bwlch

Cae'r-
ffynnon

Tynybwlch

Moel y Geifr

Ty Cerrig

Tygwyn

GLAN-
Y-WERN

Glyn-
Cywarch

Eisingrug

Aton Eising

Tanforhesgen

LL46

LL46

B4573

Moel-glo

58   A   59   B   60   C   61   D   62   E   63   F

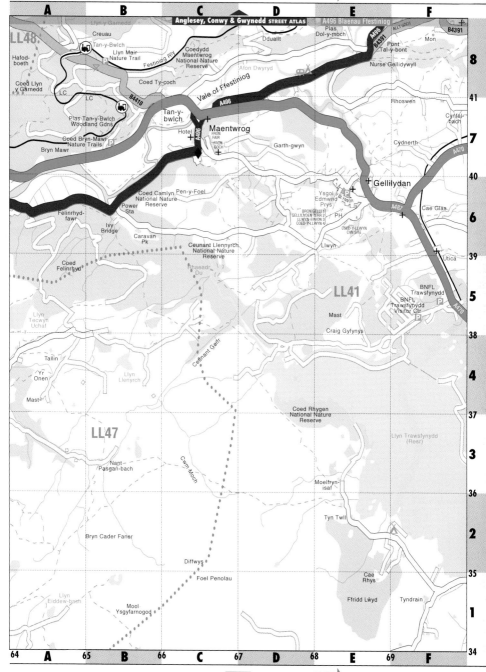

Anglesey, Conwy & Gwynedd STREET ATLAS

A496 Blaenau Ffestiniog

LL48

Llyn y Garnedd
Creuau
Tan-y-Bwlch
Llyn Mair
Nature Trail
Hafod-
boeth
Coed Llyn
y Garnedd
Coed Ty-coch
Coedydd
Maentwrog
National Nature
Reserve
Afon Dwyryd
Festiniog Rly
Dduallt
Plas
Dol-y-moch
ALLT GOCH
Mon
B4391
Pont
Tal-y-bont
Nurse Gellidywyll

Vale of Ffestiniog
A496
LC
LC
B4410
Rhoswen
Cyntai-
bach
Plas Tan-y-Bwlch
Woodland Gdns
Tan-y-
bwlch
Coed Bryn-Mawr
Nature Trails
Bryn Mawr
Maentwrog
Hotel
FRON
FAIR
FRON
GOCH
Garth-gwyn
Cydnerth
A470

Gellilydan
40

Coed Camlyn
National Nature
Reserve
Pen-y-Foel
Power
Sta
Ysgol
Edmwnd
Prys
BRON GELLI 1
GELLILYDAN TERR 2
LLWYN-EINION 3
COED-Y-LLWYN 4
PH
Cae Glas
A487

Felinrhyd-
fawr
Ivy
Bridge
Caravan
Pk
Coed-y-llwyn
Cwn Sire
Llwyn
Utica

Coed
Felinrhyd
Ceunant Llennyrch
National Nature
Reserve
Rhaeadr
Du
BNFL
Trawsfynydd
BNFL
Trawsfynydd
Visitor Ctr
A470

LL41
Llyn
Tecwyn
Uchaf
Mast
Craig Gyfynys
38

Tallin
Cefnant Goir
Llyn
Llenyrch

Yr
Onen
Coed Rhygen
National Nature
Reserve
Mast

LL47
Llyn Trawsfynydd
(Resr)

Nant
Pasgan-bach
Cwm Moch
Moelfryn-
isaf
36

Bryn Cader Faner
Tyn Twll

Diffwys
Cae
Rhys
Llyn
Eiddew-bach
Foel Penolau
Ffridd Llwyd
Tyndrain
Mool
Ysgyfarnogod
34

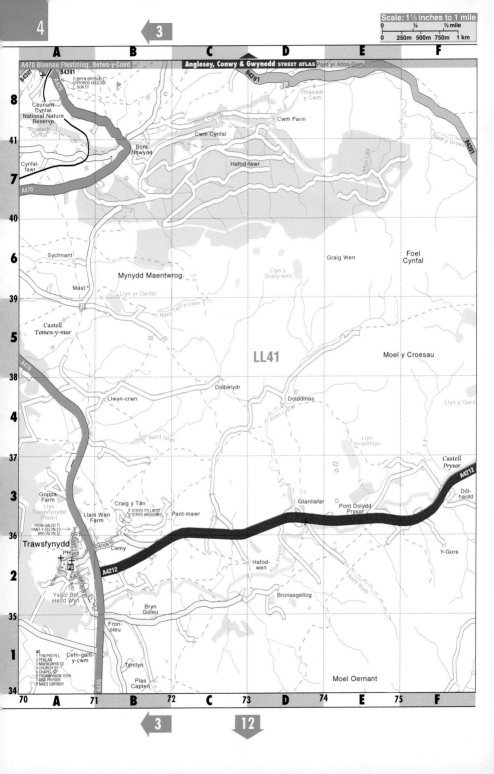

A470 Blaenau Ffestiniog, Betws-y-Coed

Anglesey, Conwy & Gwynedd STREET ATLAS Pont yr Afon-Gam

B4391

BRYN-BRYSGYLL
FFORDD HELLOGI
SUN ST

Ceunant Cynfal
National Nature Reserve

Rhaeadr Cynfal

Cynfal-fawr

A470

Bont Newydd

Cwm Farm

Rhaeadr y Cwm

Afon Cynfal

Cwm Cynfal

Hafod-fawr

Afon Lâs

Nant y Groes

B4391

Sychnant

Graig Wen

Foel Cynfal

Mynydd Maentwrog

Llyn y Graig-wen

Mast

Llyn yr Oerfel

Nant Twll-y-cwm

Castell Tomen-y-mur

LL41

Moel y Croesau

A470

Dolbelydr

Dolddinas

Llyn y Garn

Llwyn-crwn

Afon Liafar

Nant Islyn

Llyn Hiraethlyn

Castell Prysor

A4212

Dôl-haidd

Goppa Farm

Llyn Trawsfynydd (Resr)

FRON-GALED 1
PANT-Y-CELYN 2
BRO ISLYN 3

Craig y Tân

1 STRYD TYLLWYD
2 STRYD ARDUDWY

Pant-mawr

Glanllafar

Pont Dolydd Prysor

Llain Wen Farm

Y-Gors

Trawsfynydd

STATION RD

Cemy

A4212

Afon Prysor

Hafod-wen

Nant Budr

PH

Ysgol Bro Hedd Wyn

Bryn Goleu

Bronasgellog

Fron-oleu

A2
1 TYN PISTYLL
2 PENLAN
3 MAENGWYN ST
4 CHURCH ST
5 CHAPEL ST
6 FRONWNION TERR
7 BRO PRYSOR
8 MAES GWYNDY

Cefn-gallt-y-cwm

Tynllyn

Plas Capten

Moel Oernant

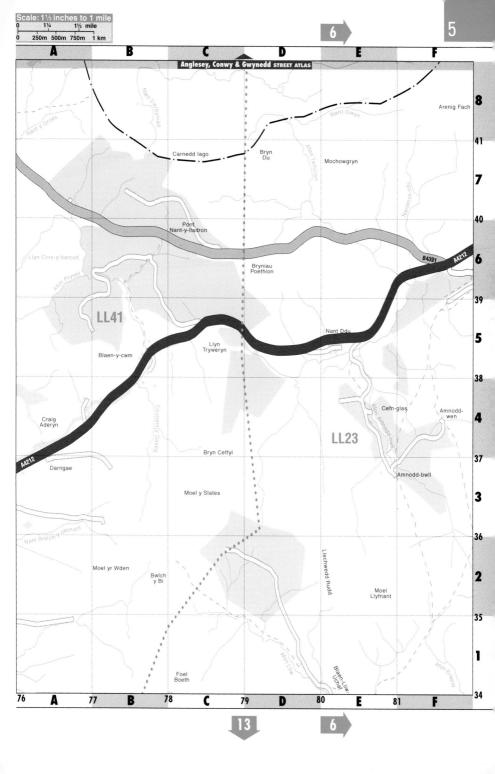

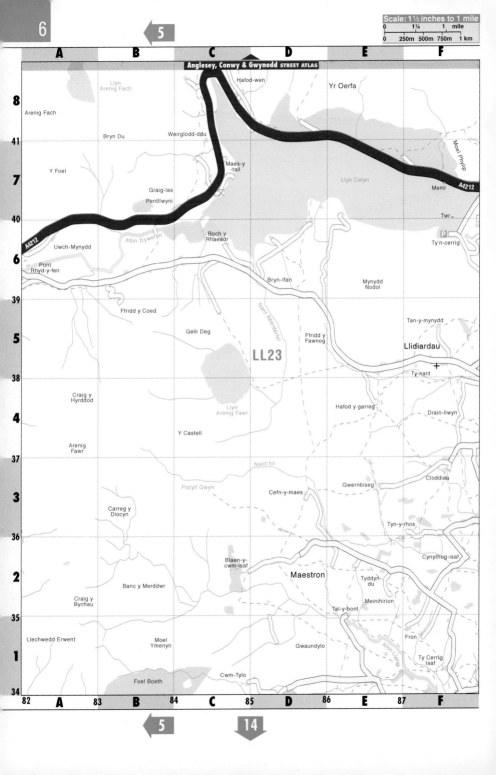

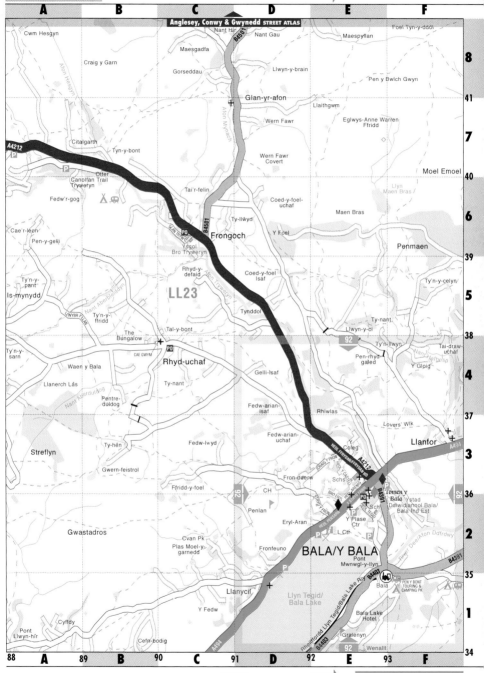

Scale: 1½ inches to 1 mile

0   ¼   ½ mile
0   250m 500m 750m 1 km

For full street detail of the highlighted area see page 92.

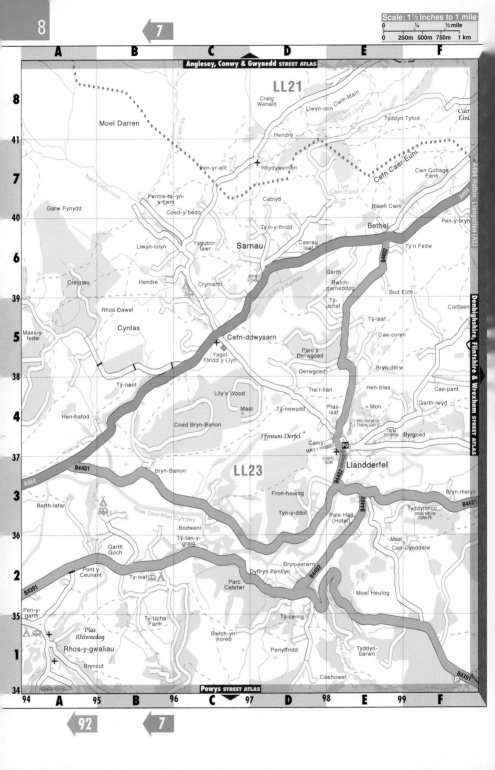

Scale: 1⅓ inches to 1 mile

0   ¼   ½ mile
0 250m 500m 750m 1 km

Anglesey, Conwy & Gwynedd STREET ATLAS

A94 Ruthin, Llangollen (A5)

Denbighshire, Flintshire & Wrexham STREET ATLAS

LL21

Craig Wenallt
Llwyn-onn
Cwm-Main
Nant Lliwglog
Tyddyn Tyfod
Caer Eini

Moel Darren

Mynydd Cwm-du

Hendre

Cefn Caer-Euni

Cwn Cottage Farm

Pen-yr-allt
Rhydywernen

Nant-Cefn-coch

Llyn Caer-Euni

Pentre-tai-yn-y-cwm
Cablyd
Blaen Cwm

Garw Fynydd
Coed-y-bedo

Bethel
Pen-y-bryn

Llwyn-Iolyn
Ysgubor-fawr
Sarnau
Ty-n-y-ffridd
Caerau Isaf

Ty'n Fedw

Creiglau
Hendre
Cryniarth
BRYN EITHIN
Cors y Sarnau
Garth
Bwlch-garneddog
Bod Elith

Cistfaen

Rhos Dawel

Afon Meloch

Tŷ-uchaf
Tŷ-isaf
Cae-coryn

Cynlas

Cefn-ddwysarn
Parc y Derwgoed
Bryn-derw

Maes-y-fedw

Ysgol Ffridd y Llyn
Derwgoed
Hen-blas
Cae-pant

Tŷ-nant
Lily's Wood
Tre'r-llan
Mon
Garth-lwyd

Mast
Tŷ-newydd
Plas-isaf
Byrgoed

Hen-hafod
Coed Bryn-Banon
Ffynnon Derfel
1 BRO HAFESB
2 TRAFALGAR ST
TREM BERWYN

Cemy
MAES Y PHRIDOY
P0

LL23

B4401

CHAPEL ROW
Llandderfel

A94

B4401
Bryn-Banon
Bryn-melyn

Berth-lafar
Fron-heulog
Tyddyninco
BRYN MELYN
CVAN PK

River Dee/Afon Dyfrdwy
Tyn-y-ddol
Pale Hall (Hotel)
B4402

Bodweni

Tŷ-tan-y-graig
Mast
Cae-Cynddelw

Pont y Ceunant
Ty-isaf
Bryn-selwrn
B4402

B4391
Parc Caletwr
Dyffryn Penllyn
Moel Heulog

Pen-y-garth
Afon Caletwr

Ty-Ucha Farm
Tŷ-cerrig

Plas Rhiwaedog
Bwlch-yn-horeb
Penyffridd
Tyddyn-barwn

Rhos-y-gwaliau
Bryncut
Caehowel
B4391

Gelli Grin

Afon Hirnant

Powys STREET ATLAS

A   B   C   D   E   F

LL47

Rabbit
Warren

LL46

8

33

7

32

93

6

Sch

LC

CH
LC

PO

Harlech

31

Coll
LC

Tremadog Bay/
Bae Tremadog

Hotel

FFORDD GLAN MOR

FFORDD NEWYDD

B4573

5

30

Groes
-las

93

SARN HIR

FFORDD UCHAF

4

PO

Cwm
Site

93

29

Llandanwg

Farm
Park

Llandanwg

3

St Tanwy's
Church

Ymwlch

Pensarn

A496

28

Bar Newydd

2

Morfa
Mawr

Llanbedr

27

Mochras
(Shell Island)

Ford

Mast

LC

Airfield   LL45

1

Mast

26

52   A   53   B   54   C   55   D   56   E   57   F

For full street detail of the
highlighted area see page 93.

16   10

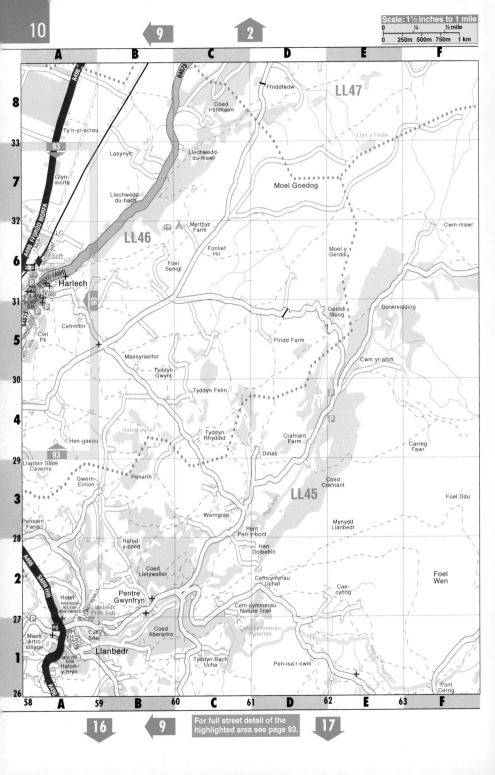

Scale: 1⅓ inches to 1 mile

LL47

LL46

LL45

Harlech

Llanbedr

Pentre
Gwynfryn

Moel Goedog

Ty'n-yr-acrau

Glyn-
morfa

Lasynys

Llechwedd-
du-mawr

Llechwedd-
du-bach

Coed
Penmaen

Ffriddfedw

Llyn y Fedw

Cwm-mawr

Merthyr
Farm

Fonlief
Hir

Foel
Senigl

Moel y
Gerddi

Gerddi
Bluog

Dolwreiddiog

Cefnfilltir

Ffridd Farm

Cwm yr-afon

Maesyraelfor

Tyddyn
Gwynt

Tyddyn Felin

Hafod-y-llyn

Hen-gaeau

Tyddyn
Rhyddid

Crafnant
Farm

Carreg
Fawr

Llanfair Slate
Caverns

Dinas

Coed
Crafnant

Gwern-
Einion

Penarth

Foel Ddu

Werngron

Pont
Pen-y-bont

Mynydd
Llanbedr

Pensarn
Farm

Hafod-
y-coed

Hen
Dolbebin

Foel
Wen

Coed Lletywalter

Cefncymerau
Uchaf

Cae-
cynog

Hotel
RIVERSIDE
HOLIDAY
APARTMENTS

Llanbedr
Prim Sch

Cefn-cymmerau
Nature Trail

Coed
Aberartro

Cefn-cymmerau
Waterfall

Maes
Artro
Village

Cvn
Site

Tyddyn Bach
Ucha

Pen-isa'r-cwm

Moelfre
TERR
Hafod-
y-bryn

Pont
Cerrig

For full street detail of the
highlighted area see page 93.

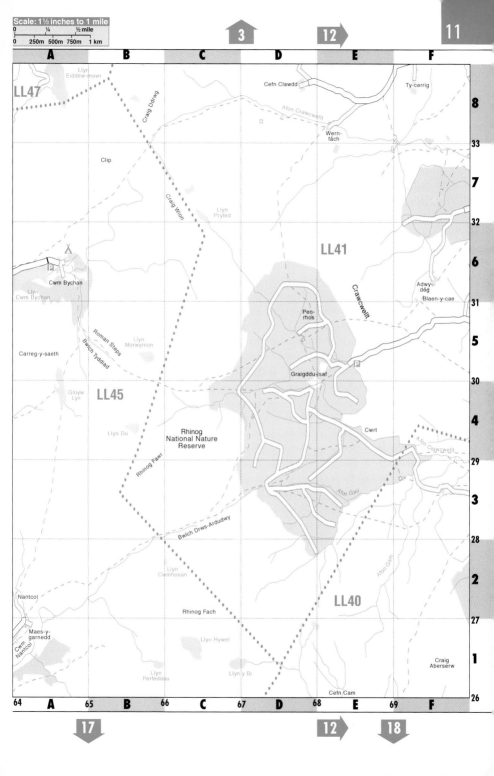

A   **B**   **C**   **D**   **E**   **F**

LL47

Llyn Eiddew-mawr

Cefn Clawdd

Ty-cerrig

Afon Crawcwellt

Wern-fách

8

33

Craig Ddrwg

Clip

7

32

Craig Wion

Llyn Pryfed

LL41

6

Cwm Bychan

Llyn Cwm Bychan

Adwy-dég

Blaen-y-cae

31

Roman Steps

Llyn Morwynion

Penrhos

Crawcwellt

5

Carreg-y-saeth

Bwlch Tyddiad

Gloyw Lyn

LL45

Graigddu-isaf

30

Llyn Du

Rhinog National Nature Reserve

Cwrt

4

Afon Crawcwellt

29

Rhinog Fawr

Afon Gau

3

Bwlch Drws-Ardudwy

28

Llyn Cwmhosan

Afon Gam

LL40

2

Nantcol

27

Maes-y-garnedd

Rhinog Fach

Cwm Nantcol

Llyn Hywel

Craig Aberserw

1

Llyn Perfeddau

Llyn y Bi

Cefn Cam

26

64   **A**   65   **B**   66   **C**   67   **D**   68   **E**   69   **F**

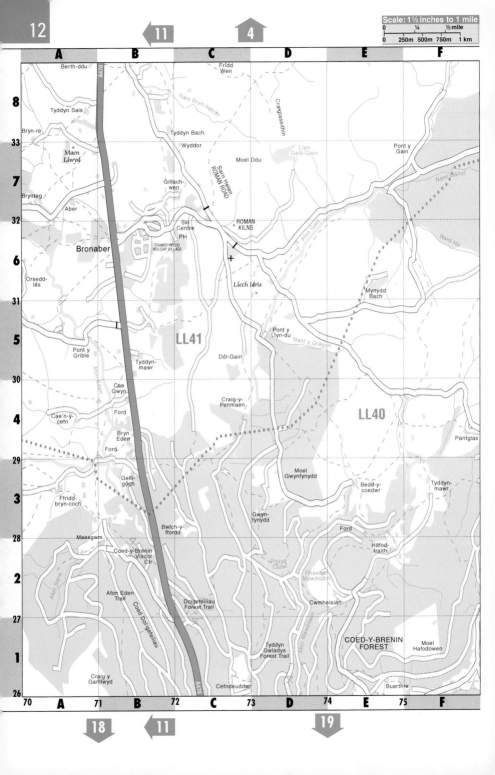

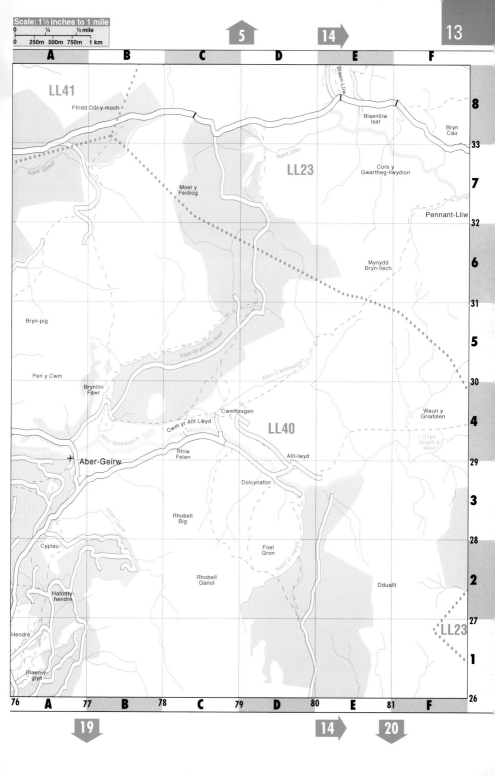

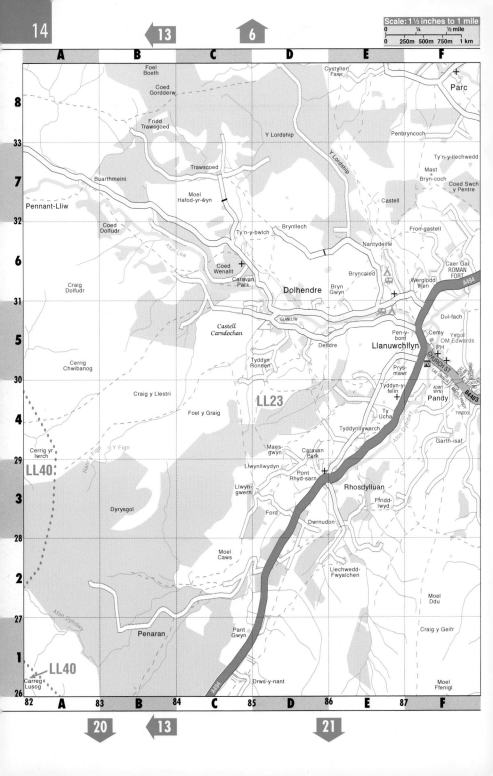

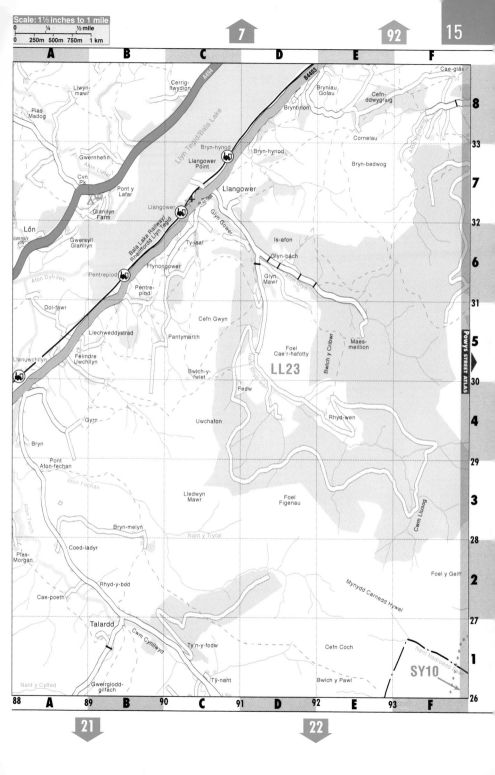

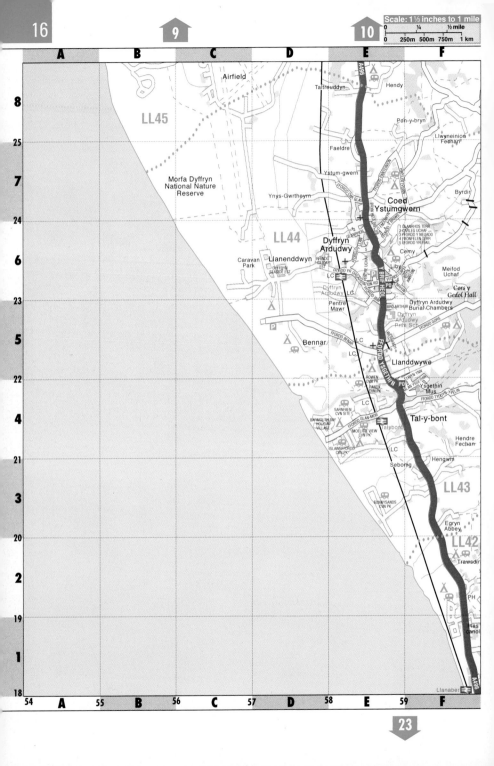

A   B   C   D   E   F

8
25
7
24
6
23
5
22
4
21
3
20
2
19
1
18

LL45

Airfield

Taltreuddyn   Hendy

Pon-y-bryn

Llwyneinion
Feehan

Faeldre

Morfa Dyffryn
National Nature
Reserve

Ystum-gwern

Ynys-Gwrtheyrn   Byrdir

Coed
Ystumgwern

LL44

Caravan
Park   Llanenddwyn

Dyffryn
Ardudwy

Cemy

Liby

Meifod
Uchaf

Cors y
Gedol Hall

Dyffryn
Ardudwy LG

Dyffryn Ardudwy
Burial Chambers

Pentre
Mawr

Dyffryn
Ardudwy
Prim Sch

Bennar

Llanddwywe

Ysgethin
Mus

Tal-y-bont

Hendre
Fechan

Sebonig   Hengwm

LL43

Egryn
Abbey

LL42

Trawsdir

PH

Plas
Canol

Llanaber

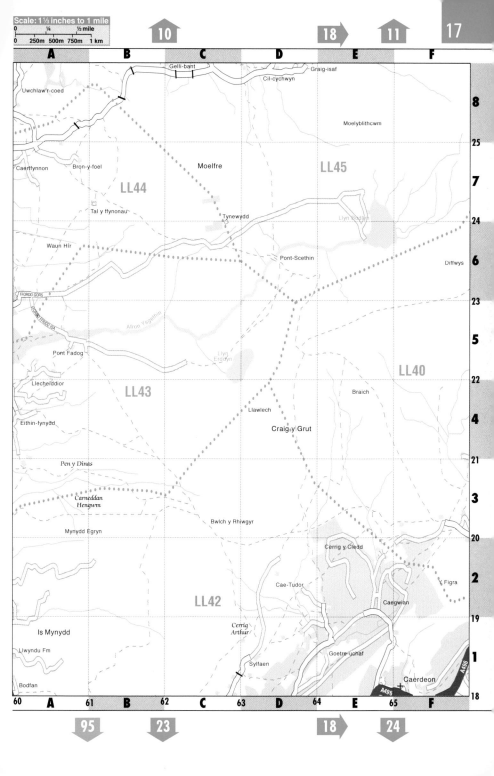

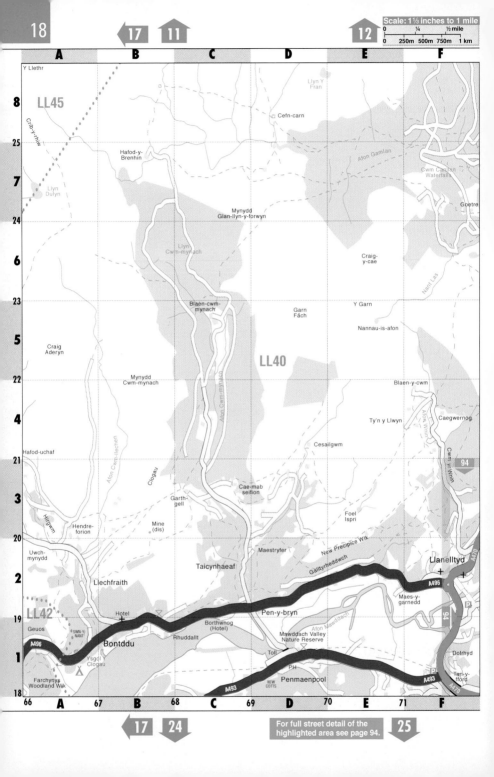

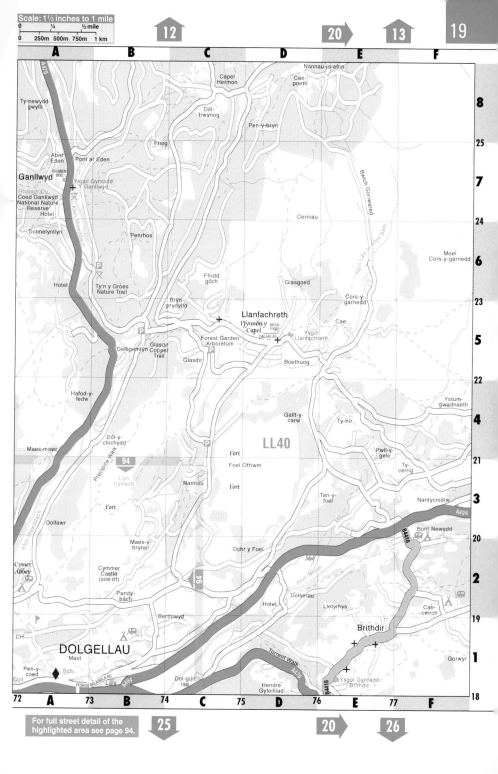

A   B   C   D   E   F

Ty-newydd-gwyllt

Aber Eden   Pont ar Eden

Ganllwyd

Rhaiadr Du
Coed Ganllwyd
National Nature
Reserve
Hotel

Dolmelynllyn

Hotel

Penrhos

Ty'n y Groes
Nature Trail

Hafod-y-fedw

Maes-mawr

Dôl-y-clochydd

Precipice Walk

Llyn Cynwch

Fort

Dolfawr

Cymer
Abbey

Maes-y-bryner

Cymmer
Castle
(site of)

Pandy-bâch

Berthlwyd

DOLGELLAU

Mast

Pen-y-coed
Coll

Sch.

Capel Hermon

Dôl-frwynog

Friog

Ffridd góch

Bryn-prydydd

Glasdir Copper Trail

Gelligemlyn

Glasdir

Forest Garden
Arboretum

Nannau

Fort

Fort

Ochr y Foel

Dol-gûn Isa

Nannau-is-afon

Cae-poeth

Pen-y-bryn

Cerniau

Glasgoed

Llanfachreth

Ffynnon y
Capel

BRYN PYOD
DALARLAS

Ysgol
Llanfachreth

Boethuog

Cors-y-garnedd

Cae

LL40

Gallt-y-carw

Ty-hîr

Tan-y-foel

Aton Wnion

Dolserau

Hotel

Lletyrhys

Brithdir

Torrent Walk

Hendre
Gyfeilliad

Ysgol Gynradd
Brithdir

Moel
Cors-y-garnedd

Ystum-gwadnaeth

Pwll-y-gele

Ty-cerrig

Nantycnidiw

A494

Bont Newydd

B4416

Cae-ceirch

Gorwyr

B4416

8
25
7
24
6
23
5
22
4
21
3
20
2
19
1
18

72   A   73   B   74   C   75   D   76   E   77   F   18

For full street detail of the
highlighted area see page 94.

25   **20**   **26**

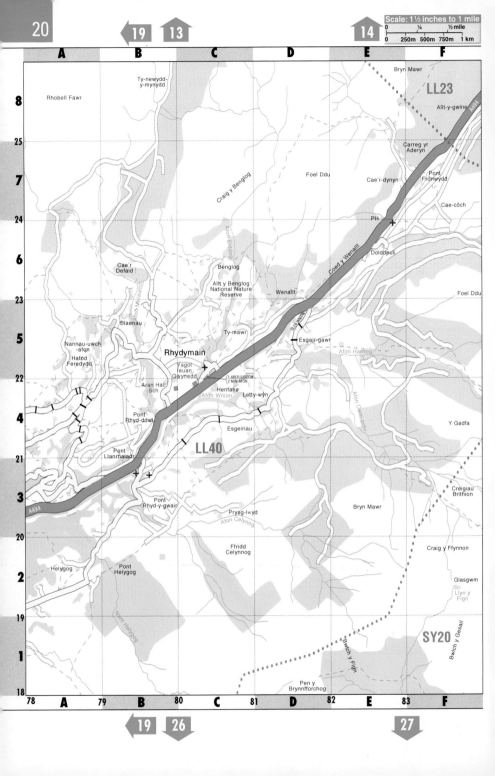

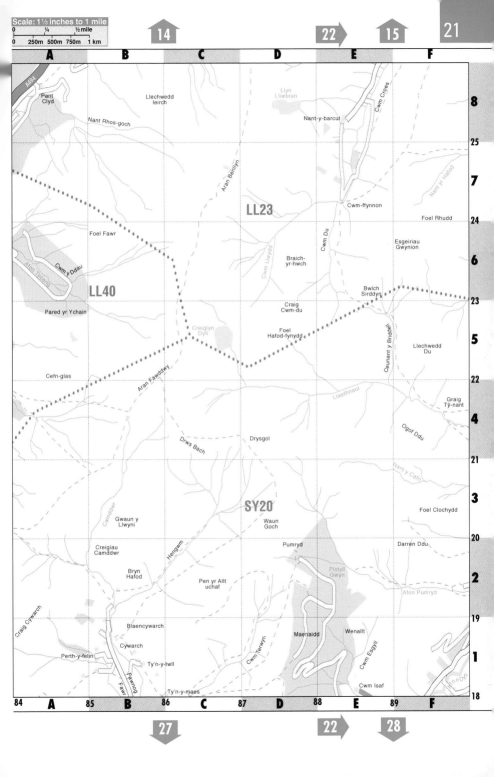

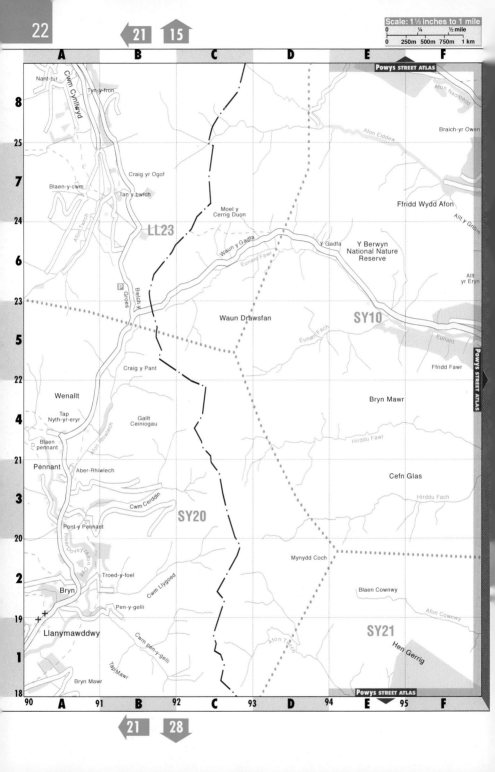

Scale: 1⅓ inches to 1 mile

0   ¼   ½ mile
0   250m 500m 750m   1 km

Powys STREET ATLAS

A   B   C   D   E   F

8
25
7
24
6
23
5
22
4
21
3
20
2
19
1
18

Nant-hir
Cwm Cynllwyd
Tyn-y-fron
Craig yr Ogof
Blaen-y-cwm
Tan y bwlch
Afon Twrch
LL23
Moel y Cerrig Duon
Waun y Gadfa
Eunant Fawr
Y Gadfa
Y Berwyn National Nature Reserve
Braich-yr Owen
Aton Nadroedd
Afon Eiddew
Ffridd Wydd Afon
Allt y Gribin
Allt yr Eryn
Bwlch-y Groes
Waun Drawsfan
SY10
Eunant Fach
Eunant
Ffridd Fawr
Craig y Pant
Wenallt
Tap Nyth-yr-eryr
Gallt Ceiniogau
Afon Rhiwlech
Bryn Mawr
Hirddu Fawr
Blaen pennant
Pennant
Aber-Rhiwlech
Cwm Ceiddin
Cefn Glas
Hirddu Fach
SY20
Pont-y Pennant
River Dovey (Afon Dyfi)
Troed-y-foel
Cwm Llygoed
Mynydd Coch
Blaen Cownwy
Afon Cownwy
Bryn
Pen-y-gelli
Llanymawddwy
Cwm pen-y-gelli
Afon Twrch
SY21
Hen Gerrig
Tap Mawr
Bryn Mawr

90   A   91   B   92   C   93   D   94   E   95   F

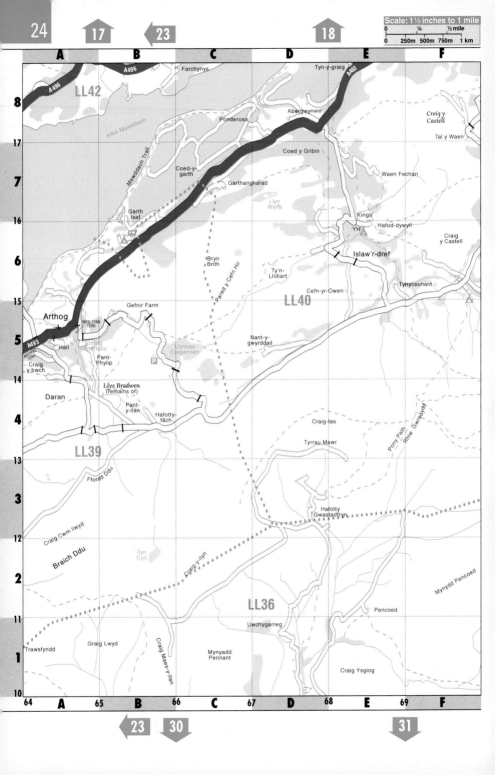

Scale: 1⅓ inches to 1 mile

0   ¼   ½ mile
0 250m 500m 750m 1 km

A   B   C   D   E   F

Farchynys

Tyn-y-graig

A496
A496
LL42

A493

Abergwynant

Craig y Castell

Ponderosa

Tal y Waen

8

17

Coed y Gribin

Mawddach Trail

Coed-y-garth

Waen Fechan

7

Garthangharad

Afon Mawddach

Llyn Wyifa

16

Garth Isaf

Kings

Hafod-dywyll

YH

Craig y Castell

Islaw'r-dref

6

Bryn Brith

Pared y Cefn Hir

Ty'n-Llidiart

Tynyceunant

15

Cefn-yr-Owen

LL40

Arthog

Gefnir Farm

WESLEYAN TERR

5

Hall

Arthog Waterfalls

Nant-y-gwyrddail

M93

Pant-Phylip

ARTHOG TERR

Craig y bwch

Llynnau Cregennen

P

14

Daran

Llys Bradwen (remains of)

Pant-y-llan

Hafotty-fâch

Craig-las

4

Tyrrau Mawr

Pony Path

Rhiw Gwredydd

13

LL39

Ffordd Ddu

3

Hafotty Gwastadfryn

Craig Cwm llwyd

Braich Ddu

12

Llyn Cyri

2

Craig-y-llyn

LL36

Mynydd Pencoed

Pencoed

11

Uwchygarreg

1

Trawsfynydd

Graig Lwyd

Craig Maes-y-llan

Mynyadd Pennant

Craig Ysgiog

10

64   A   65   B   66   C   67   D   68   E   69   F

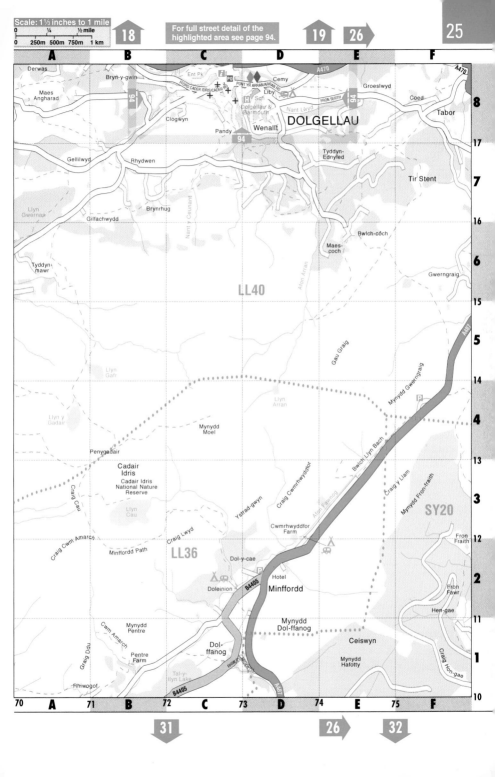

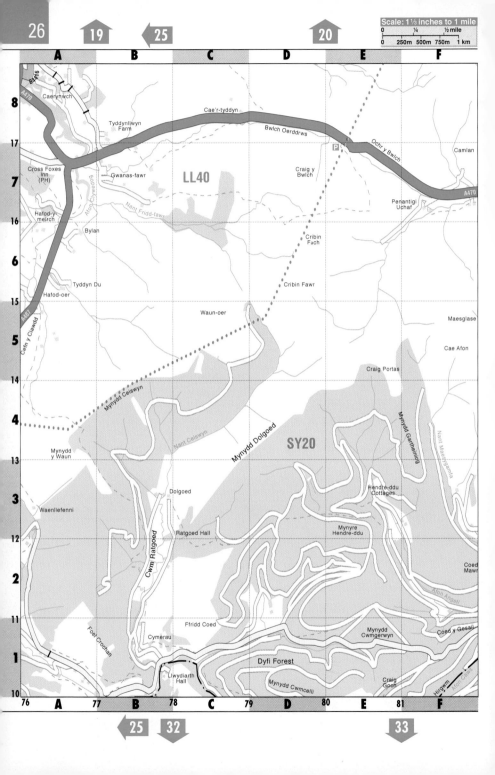

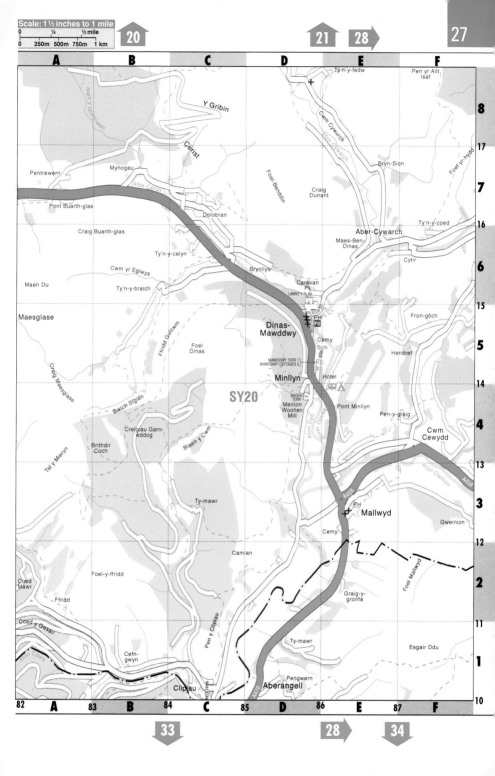

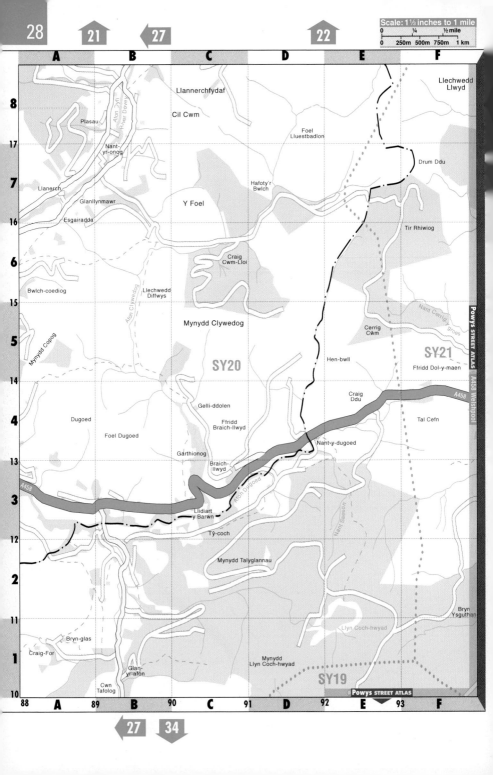

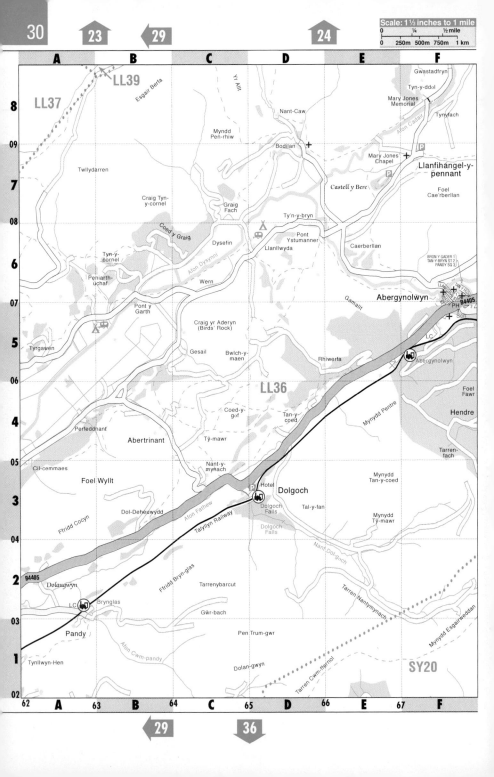

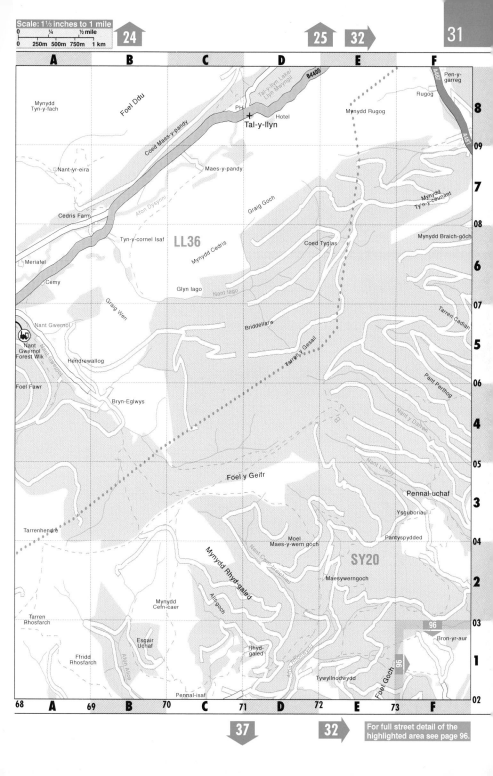

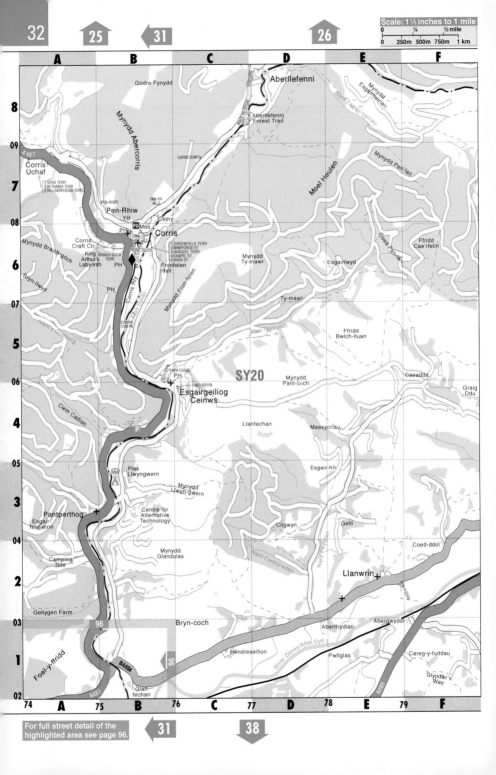

A **B** **C** **D** **E** **F**

8

Godre Fynydd

Aberllefenni

Mynydd EsgairfreIliau

Mynydd Abercorris

Nant Esgair-geiriau

09

A 487

Aberllefenni Forest Trail

Corris Uchaf

Mynydd Pen-lan

7

1 IDRIS TERR
2 BETHANIA TERR
3 HILLSBOROUGH TERR

PEN-RHOS

Moel Heulen

GARNEDDWEN

Coed Pen-lan

TAN-YR-ALLT

Pen-Rhiw

Ffridd Cae'rfelin

YH

08

PO Mus

Cemy

PH

Mynydd Braich-goch

Corris

Corris Craft Ctr

1 GREENFIELD TERR
2 MINFFORDD ST
3 ARDDOL TERR
4 CHAPEL ST
5 IDRIS ST

Sch

Mynydd Ty-mawr

Esgairllwyd

King Arthur's Labyrinth

BRAICH-GOCH TERR

Fronfelen Hall

6

PH

Mynydd Fron-felen

Bryn-llwyd

PH

Ty-mawr

07

Corris Rly

Afon Dulas

Afon Siesych

Ffridd Bwlch-lluan

CORRIS CVN PK

5

Nant y Goutwng

PARK DULAS

SY20

Caeadda

06

PH

AELYBRYN

Mynydd Pant-coch

Graig Ddu

Esgairgeiliog Ceinws

4

Cwm Cadian

Llanfechan

Maesycriau

05

P

Plas Llwyngwern

Esgair-hîr

Mynydd Llwyn-gwern

3

Pantperthog

Centre for Alternative Technology

Cilgwyn

Gelli

Esgair-foel-eirin

04

Coed-ddol

Mynydd Glandulas

Nant Cwmyrwyden

Nant Pridd-on

2

Camping Site

Llanwrin

03

Gellygen Farm

96

Bryn-coch

Aberffrydlan

Abergwydol

1

Foel-y-ffridd

BA404

96

River Dovey/Afon Dyfi

Hendreseifion

Pwllglas

Careg-y-fuddau

Glyndŵr's Way

A 469

02

A 487

Glan-fechan

74 **A** **75** **B** **76** **C** **77** **D** **78** **E** **79** **F**

For full street detail of the highlighted area see page 96.

31

38

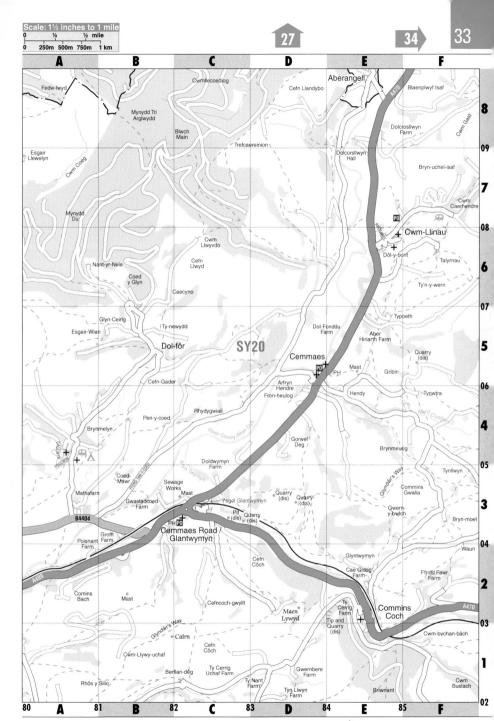

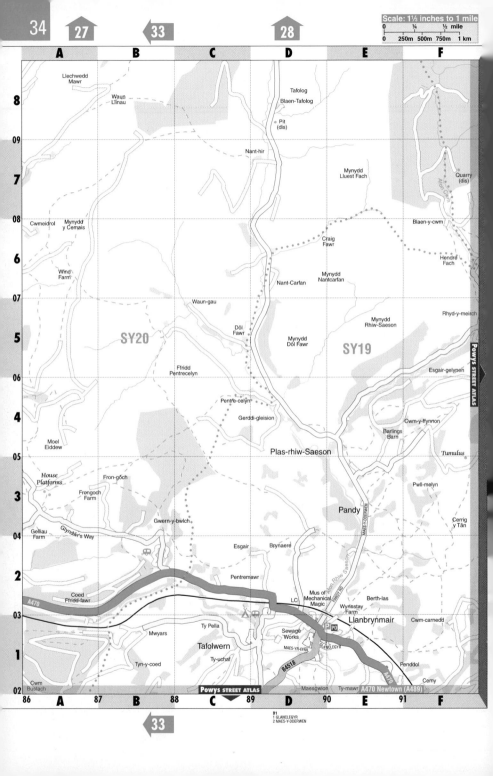

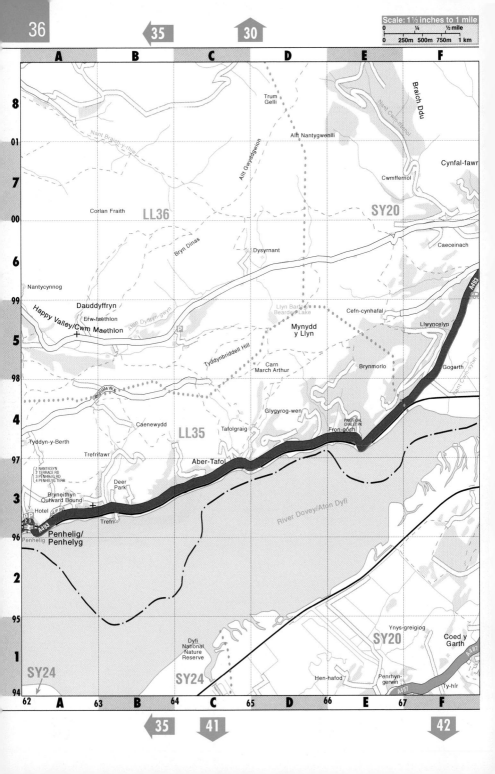

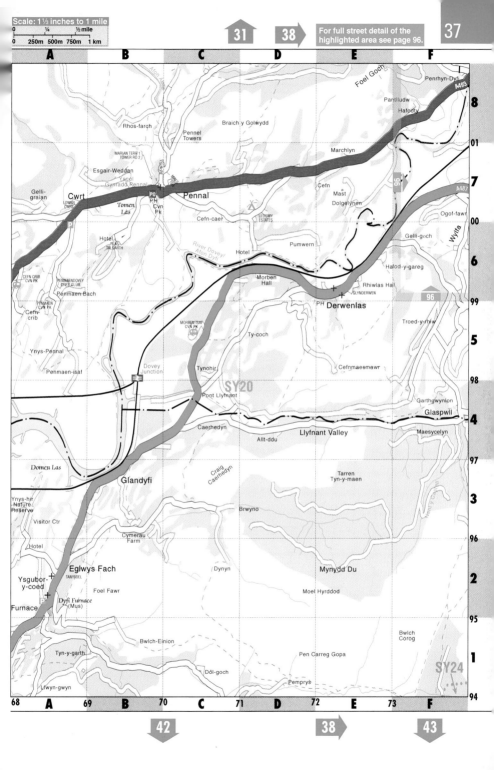

A   B   C   D   E   F

Foel Goch   Penrhyn-Dyfi
                                                  A493
Pantlludw   8
Hafodty

Braich y Golwydd

Rhos-farch   Pennel   Marchlyn   01
                  Towers

MARIAN TERR 1   96
TOWER RD 2   Cefn   A487   7
Esgair-Weddan   Ysgol   Mast
Gelli-   Ysgol Gynradd Rennal   Dolgelynen
graian   Cwrt PO   Pennal   Ogof-fawr
         LOWER PH   00
         CWRT   Cvn   Cefn-cae   Gelli-goch   Wyfa
         Tomen Pk   6
         Las   Cefn-cae   LLUGWY   Hafod-y-gareg
       P   Hotel   ESTATES
                PLAS   River Dovey   Hotel Rhiwlas Hall
                TALGARTH   Afon Dyfi   Morben   GLYNDERWEN
                                            Hall   96
   CEFN CRIB PENMAENDOVEY   PH   99
   CVN PK   GOLF CLUB   Pumwern   Derwenlas
   Penmaen Bach   Troed-y-rhiw
   PENMAEN   5
   CVN PK
Cefn-
crib
Ynys-Pennal   Ty-coch   Cefnmaesmawr   98

Penmaen-isaf   Dovey   Tynohir
                  Junction   Garthgwynion   4
                        Pont Llyfnant   Glaspwll
                                                        Maesycelyn
                  Caerhedyn   Allt-ddu   Llyfnant Valley   97

Domen Las   Craig   Tarren
                            Caerhedyn   Tyn-y-maen   3
         Glandyfi
Ynys-hir
Nature   Brwyno   96
Reserve
Visitor Ctr

Hotel   Cymerau
                       Farm
                                  Dynyn   Mynydd Du   2
      Eglwys Fach TANYFOEL
Ysgubor-
y-coed   Foel Fawr   Moel Hyrddod   95
Furnace   Dyfi Furnace
          (Mus)   Bwlch
Tyn-y-garth   Corog
                                                        SY24   1
           Dôl-goch
Llwyn-gwyn   Pemprys

68   69   B   70   C   71   D   72   E   73   F   94

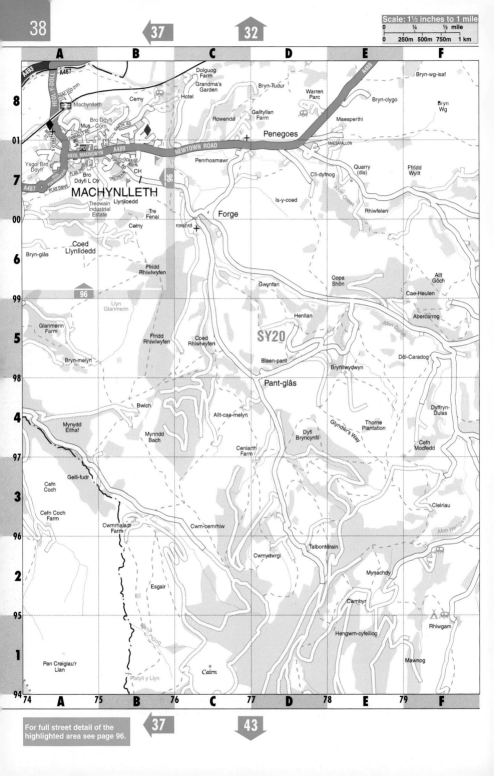

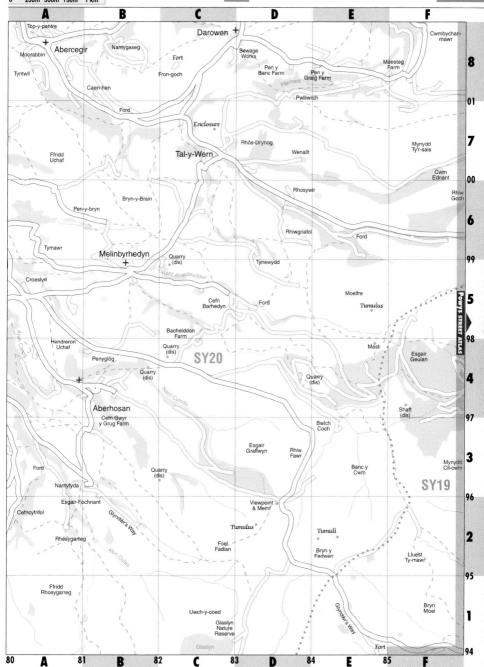

A   B   C   D   E   F

Top-y-pentre
Abercegir
Moorabbin
Tyntwll
Nantygaseg
Caen-hen
Ford
Fort
Fron-goch
Darowen
Sewage Works
Pen y Banc Farm
Pen y Graig Farm
Maesteg Farm
Cwmbychan-mawr

Flernant
Pwllwrch

Enclosure

Ffridd Uchaf
Tal-y-Wern
Rhôs-Drynog
Wenallt
Mynydd Ty'r-sais
Cwm Ednant
Rhiw Goch

Bryn-y-Brain
Pen-y-bryn
Rhosywir
Rhiwgriafol
Ford

Tymawr
Melinbyrhedyn
Quarry (dis)
Nant Aberdeuddwr
Tynewydd

Croeslyn
Cefn Barhedyn
Ford
Moelfre
Tumulus

Powys Street Atlas

Bacheiddon Farm
Hendreron Uchaf
Quarry (dis)
SY20
Mast
Esgair Geulan

Penyglog
Quarry (dis)
Quarry (dis)
Shaft (dis)

Aberhosan
Cefn Gwyr y Grug Farm
Bwlch Coch
Mynydd Cil-cwm

Ford
Esgair Graflwyn
Rhiw Fawr
Banc y Cwm
SY19

Nantyfyda
Quarry (dis)

Cefncyfrifol
Viewpoint & Meml
Tumuli
Lluest Ty-mawr

Rhysygarteg
Tumulus
Bryn y Fedwen

Glyndŵr's Way
Foel Fadian

Afon Dulas

Ffridd Rhosygarreg
Bryn Moel

Uwch-y-coed
Glyndŵr's Way
Fort

Glaslyn Nature Reserve
Glaslyn

80 A 81 B 82 C 83 D 84 E 85 F

8
01
7
00
6
99
5
98
4
97
3
96
2
95
1
94

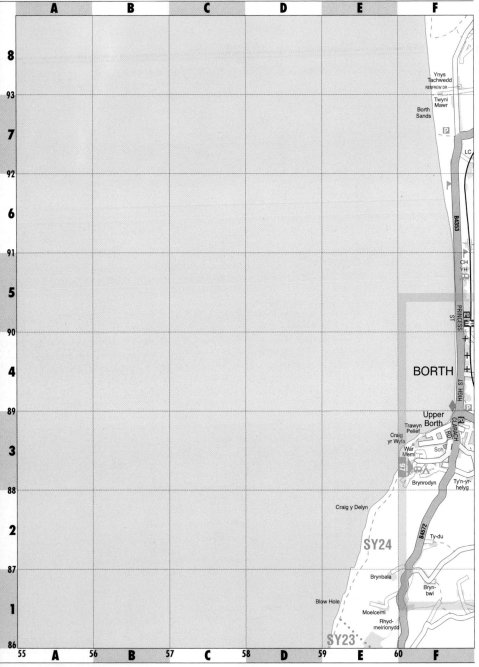

Scale: 1⅓ inches to 1 mile

0 ¼ ½ mile
0 250m 500m 750m 1 km

8

93

7

92

6

91

5

90

4

89

3

88

2

87

1

86

A   B   C   D   E   F

Ynys
Tachwedd
RENFREW DR
Twyni
Mawr
Borth
Sands
P
LC

B4353

CH
YH

PRINCESS ST

BORTH

HIGH ST

P

Upper
Borth
Trawyn
Pelief
Craig
yr Wyfa
Wâr
Meml   Sch
CLARACH RD

Brynrodyn   Ty'n-yr-
helyg

Craig y Delyn

B4572   Ty-du

SY24

Brynbala   Bryn-
bwi

Blow Hole

Moelcerni
Rhyd-
meirionydd

SY23

55   A   56   B   57   C   58   D   59   E   60   F

For full street detail of the
highlighted area see page 97.

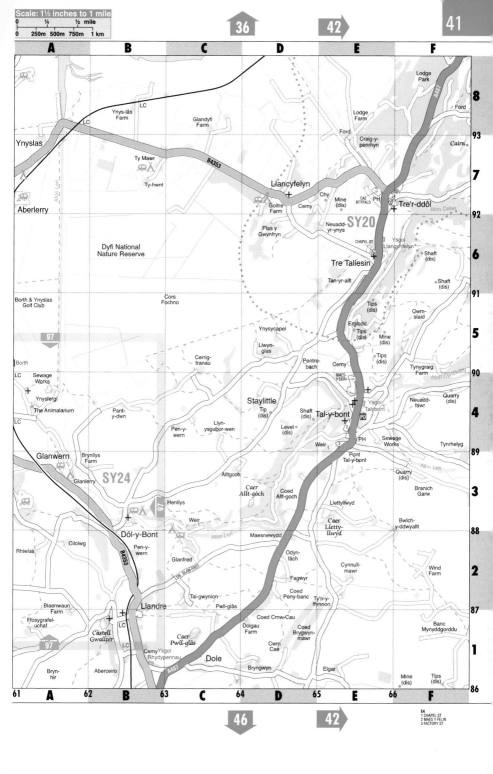

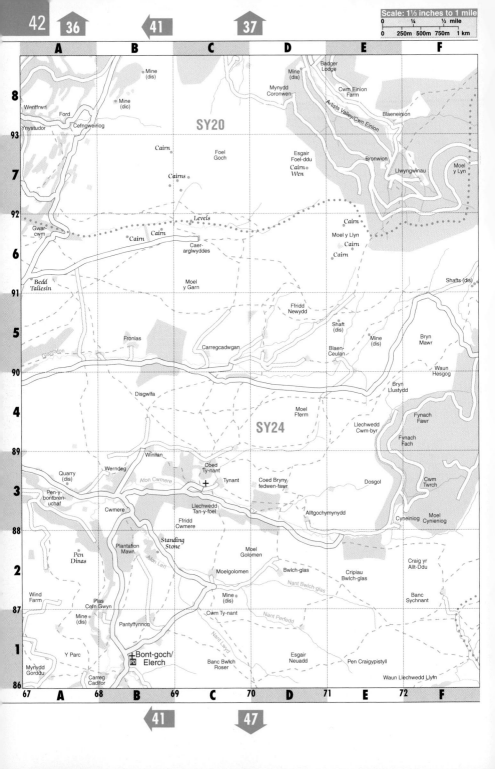

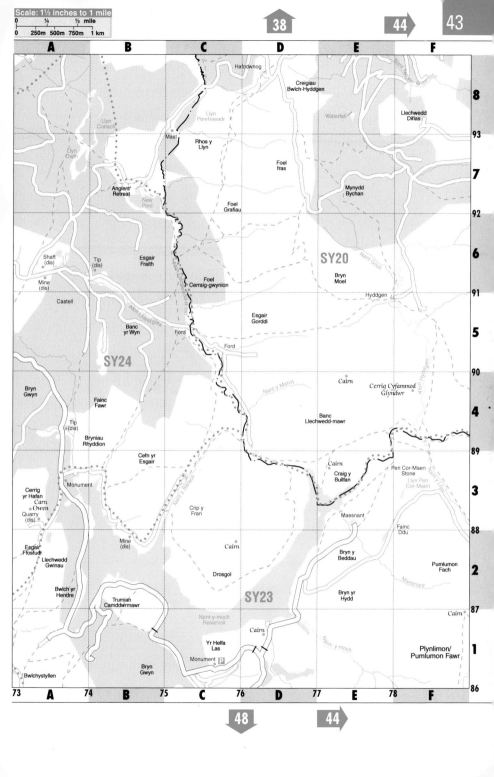

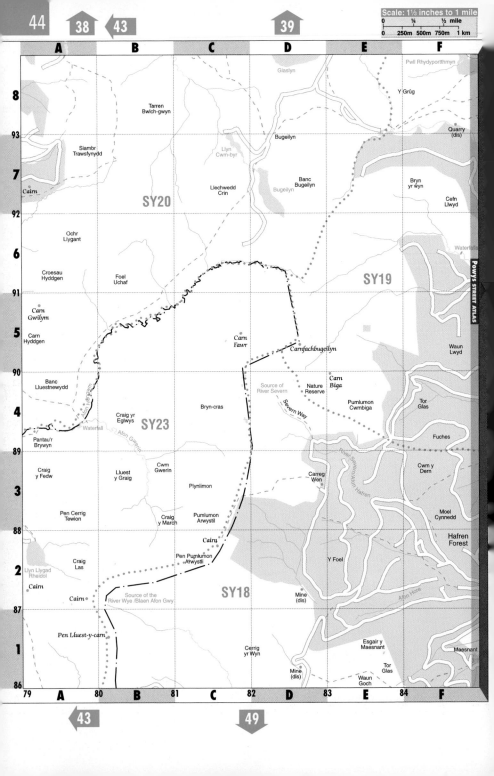

Scale: 1½ inches to 1 mile

0   ¼   ½ mile
0   250m 500m 750m 1 km

A **B** **C** **D** **E** **F**

POWYS STREET ATLAS

8

Glaslyn

Pwll Rhydyporthmyn

Y Grŵg

93

Tarren
Bwlch-gwyn

Bugeilyn

Quarry
(dis)

Siambr
Trawsfynydd

Llyn
Cwm-byr

7

Liechwedd
Crin

Banc
Bugeilyn

Bryn
yr wyn

Cairn

Bugeilyn

Cefn
Llwyd

92

SY20

Ochr
Llygant

6

Waterfalls

Croesau
Hyddgen

Foel
Uchaf

SY19

91

Carn
Gwilym

5

Waun
Lwyd

Carn
Hyddgen

Carn
Fawr

Carnfachbugeilyn

90

Banc
Lluestnewydd

Source of
River Severn

Nature
Reserve

Carn
Biga

Afon Hengwm

Craig yr
Eglwys

SY23

Bryn-cras

Pumlumon
Cwmbiga

Tor
Glas

4

Waterfall

Afon Gwerin

Severn Way

Fuches

Pantau'r
Brywyn

River Severn/Afon Hafren

89

Craig
y Fedw

Lluest
y Graig

Cwm
Gwerin

Plynlimon

Carreg
Wen

Cwm y
Dern

3

Pen Cerrig
Tewion

Craig
y March

Pumlumon
Arwystli

Moel
Cynnedd

88

Cairn

Hafren
Forest

Craig
Las

Pen Pumlumon
Arwystli

Y Foel

2

Llyn Llygad
Rheidol

Cairn

Source of the
River Wye /Blaen Afon Gwy

SY18

Mine
(dis)

Afon Hore

87

Cairn

Esgair y
Maesnant

Maesnant

Pen Lluest-y-carn

1

Cerrig
yr Wyn

Tor
Glas

Mine
(dis)

Waun
Goch

86

79 **A** **80** **B** **81** **C** **82** **D** **83** **E** **84** **F**

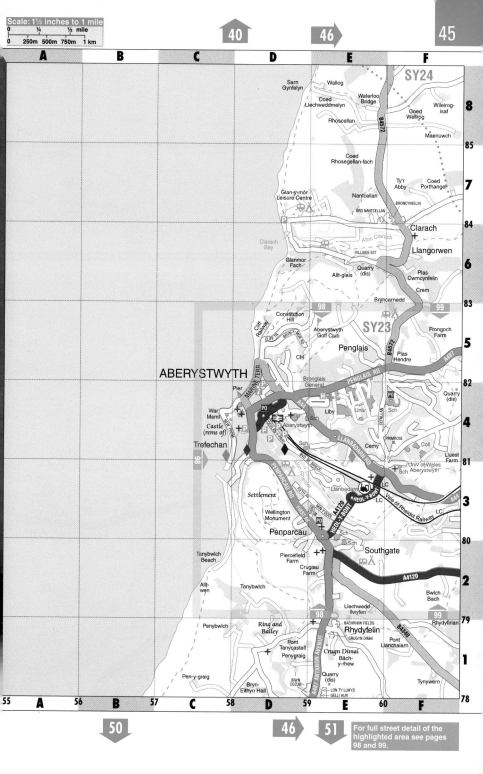

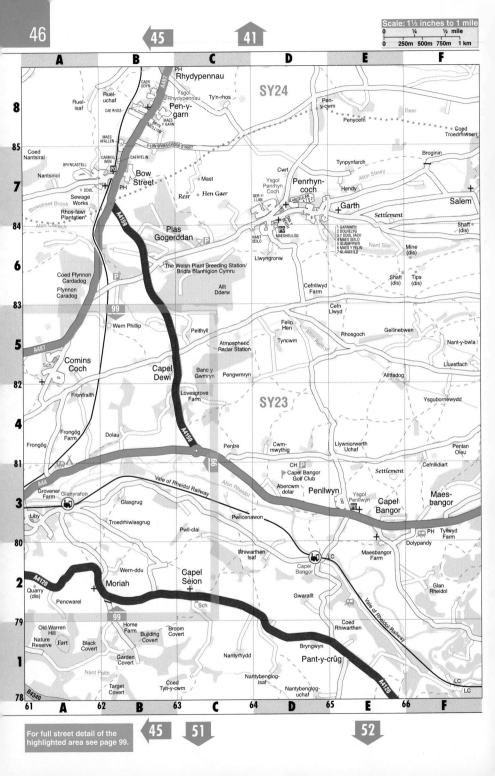

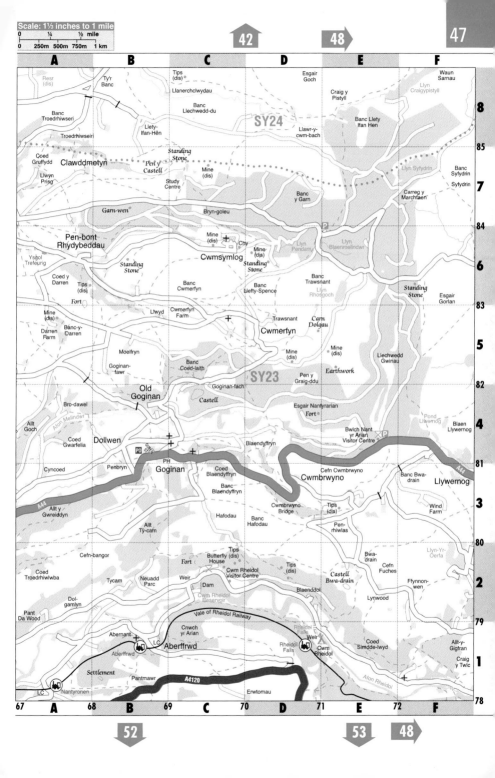

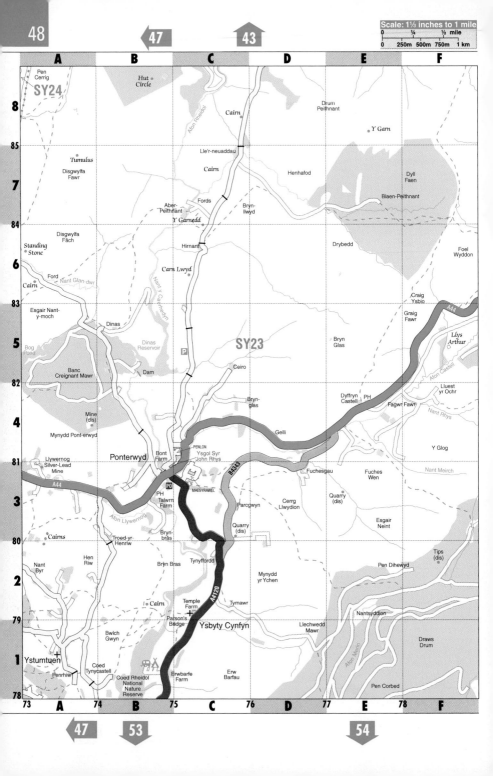

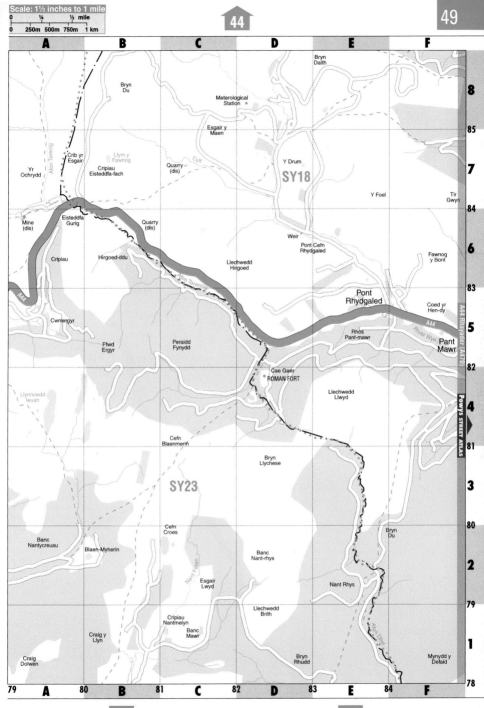

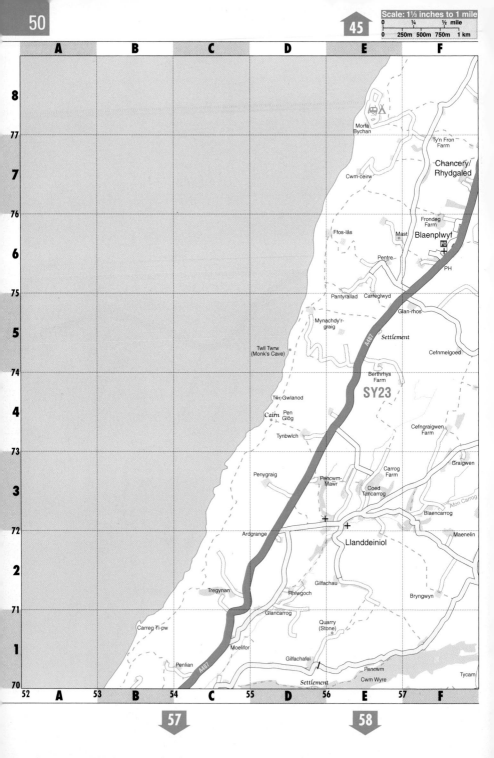

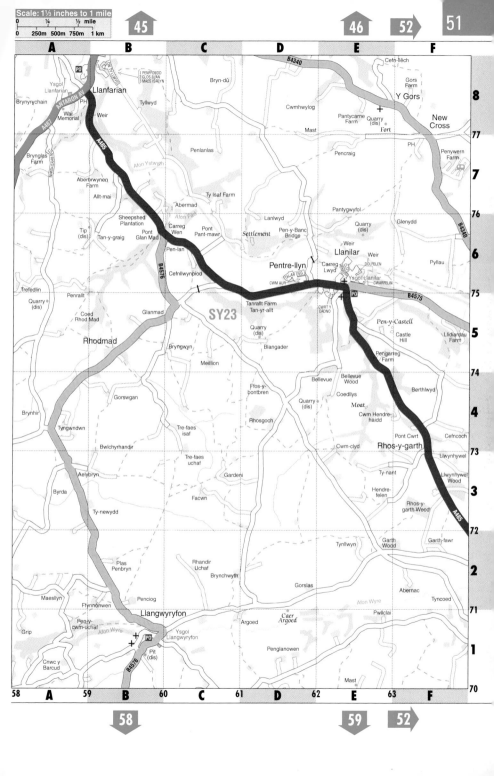

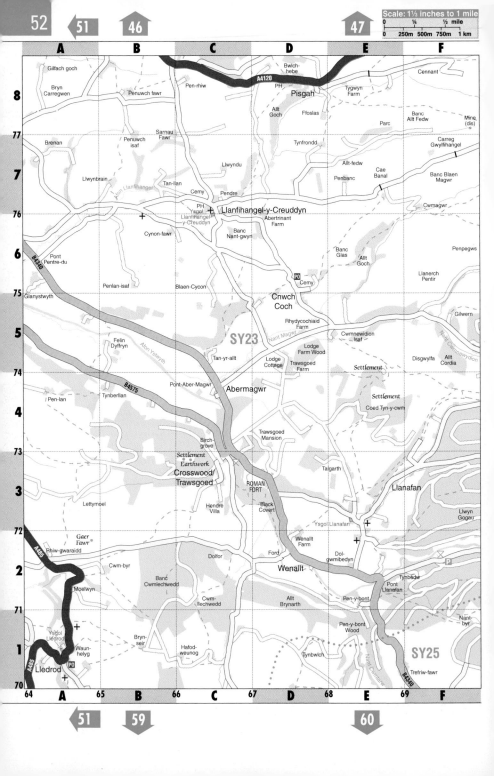

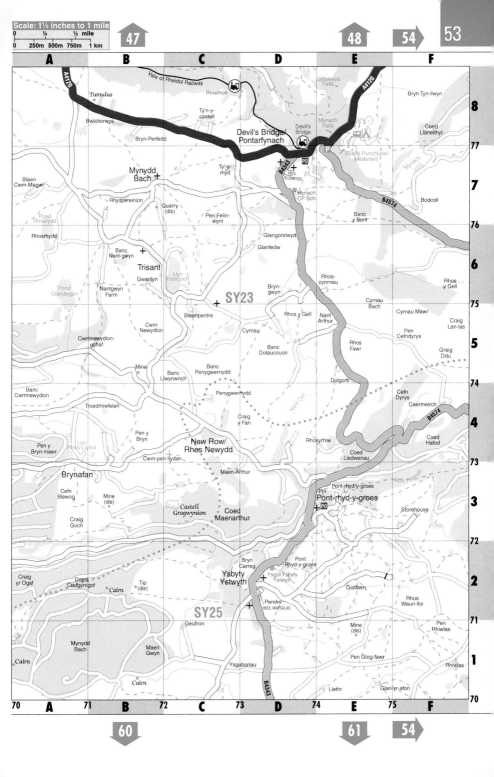

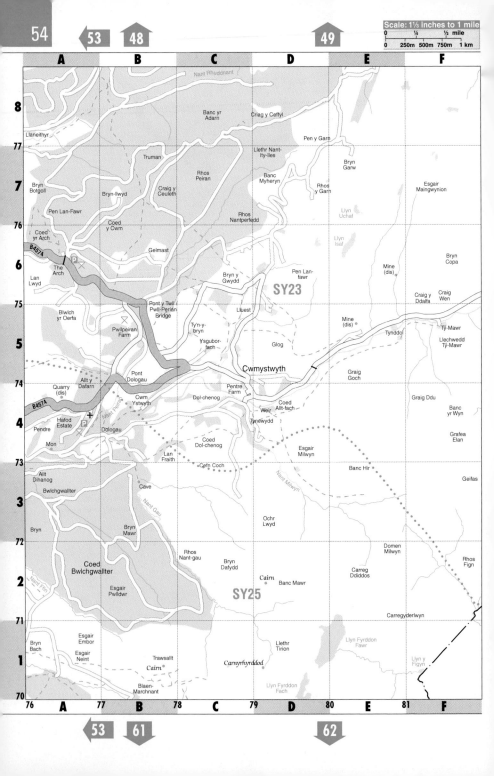

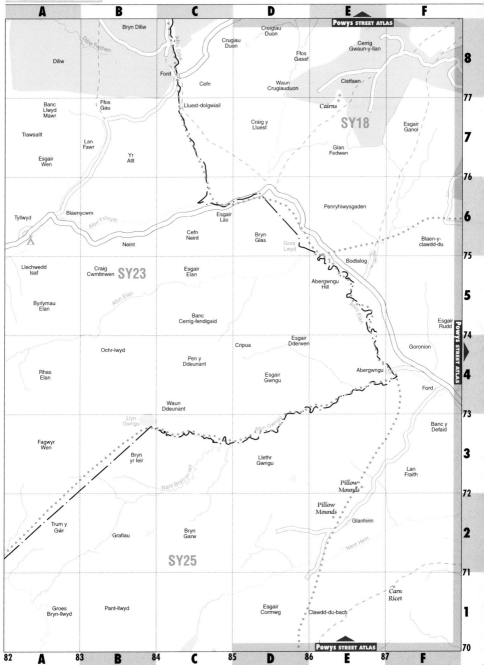

55

Powys STREET ATLAS

Bryn Diliw

Aфon Diliw

Creiglau
Duon

Crugiau
Duon

Cerrig
Gwaun-y-llan

8

Diliw

Ffos
Gasaf

Cistfaen

Ford

Cefn

Waun
Crugiauduon

77

Banc
Llwyd
Mawr

Ffos
Gau

Lluest-dolgwiail

Cairns

Esgair
Ganol

SY18

Trawsallt

Lan
Fawr

Craig y
Lluest

7

Esgair
Wen

Yr
Allt

Glan
Fedwen

76

Tyllwyd

Blaenycwm

Afon Ystwyth

Esgair
Las

Bryn
Glas

Penryhiwysgaden

6

Neint

Cefn
Neint

Gors
Lwyd

Blaen-y-
clawdd-du

75

Llechwedd
Isaf

Craig
Cwmtinwen

SY23

Esgair
Elan

Bodtalog

Byrlymau
Elan

Afon Elan

Banc
Cerrig-fendigaid

Abergwngu
Hill

5

Ochr-lwyd

Cripua

Esgair
Dderwen

Afon Elan

Esgair
Rudd

74

Rhas
Elan

Pen y
Ddeunant

Esgair
Gwngu

Goronion

Abergwngu

4

Waun
Ddeunant

Afon Gwngu

Ford

Llyn
Gwngu

Banc y
Defaid

73

Fagwyr
Wen

Bryn
yr Ieir

Llethr
Gwngu

Lan
Fraith

3

Nant Bryn-yr-ieir

Pillow
Mounds

72

Trum y
Gŵr

Grafiau

Bryn
Garw

Pillow
Mounds

Glanhirin

2

SY25

Nant Hirin

Carn
Ricet

71

Groes
Bryn-llwyd

Pant-llwyd

Esgair
Cormwg

Clawdd-du-bach

1

70

Powys STREET ATLAS

82   A   83   B   84   C   85   D   86   E   87   F

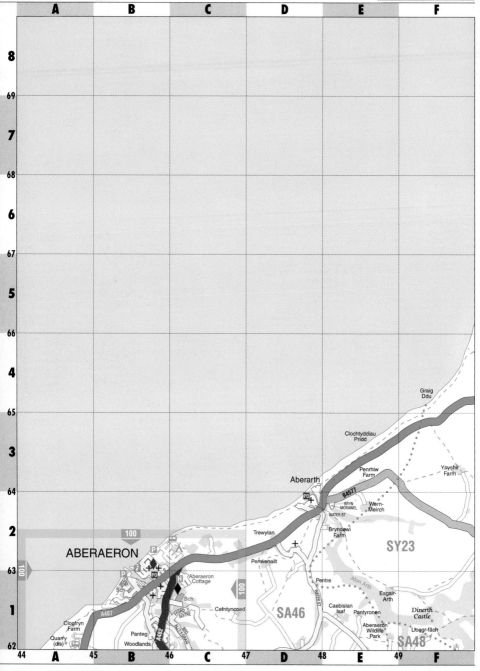

Scale: 1⅓ inches to 1 mile

0 ¼ ½ mile
0 250m 500m 750m 1 km

8
69
7
68
6
67
5
66
4
65
3
64
2
63
1
62

A   B   C   D   E   F

Graig
Ddu

Clochtyddiau
Pridd

Ynyshir
Farm

Penrhiw
Farm

Aberarth

B4577

BRYN
MORAWEL
WATER ST

Wern-
Meirch

Trewylan

Bryndewi
Farm

SY23

Penwenallt

Pentre

Afon Arth

Esgair-
Arth

ABERAERON

100

100

Aberaeron
Cottage

Sch

Cefntyncoed

SA46

Caebislan
Isaf

Pantyronen

Dinerth
Castle

Clogfryn
Farm

A487

Panteg
Woodlands

A482

Aberaeron
Wildlife
Park

Lloegr-fâch

SA48

Quarry
(dis)

100

44   A   45   B   46   C   47   D   48   E   49   F

For full street detail of the
highlighted area see page 100.

65

66

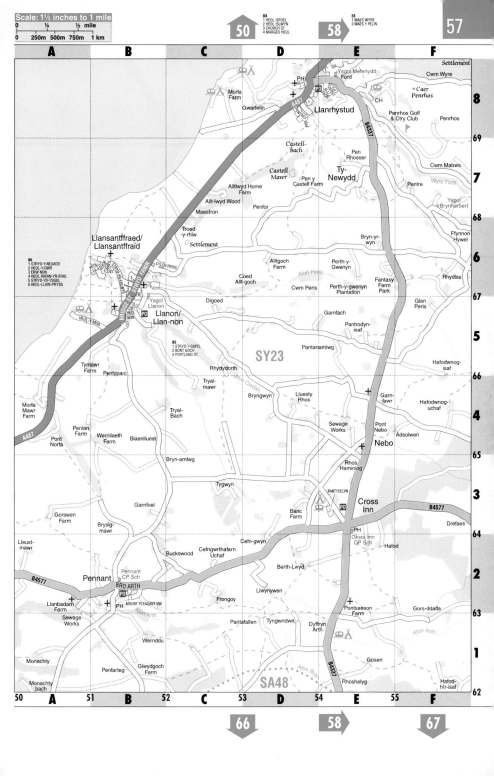

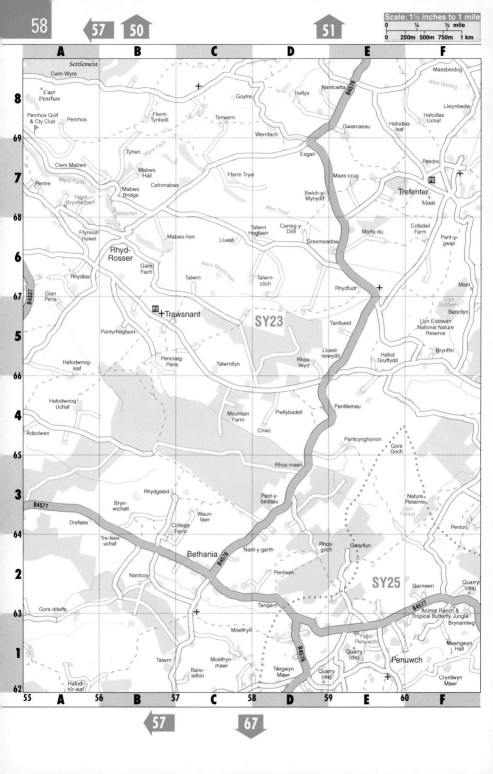

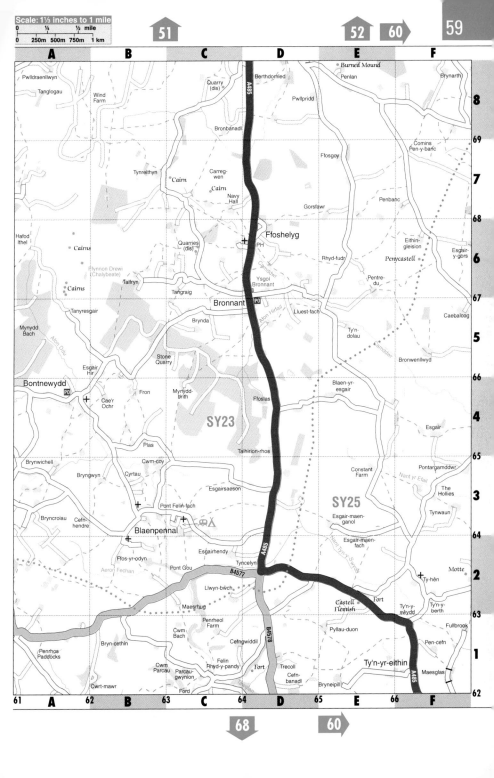

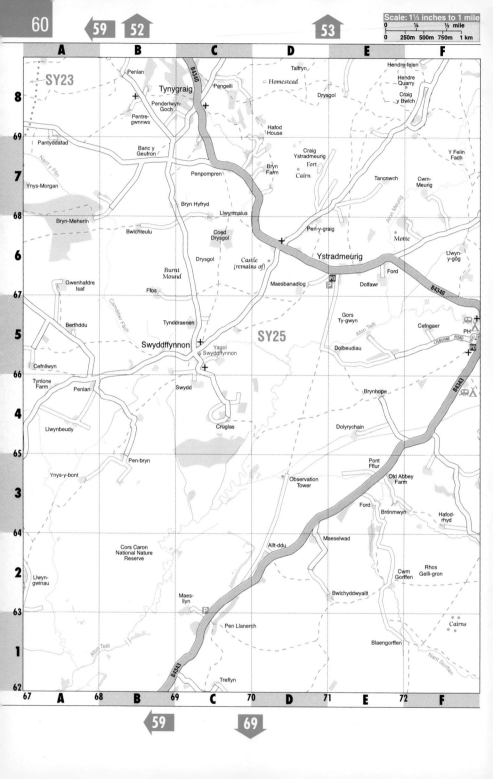

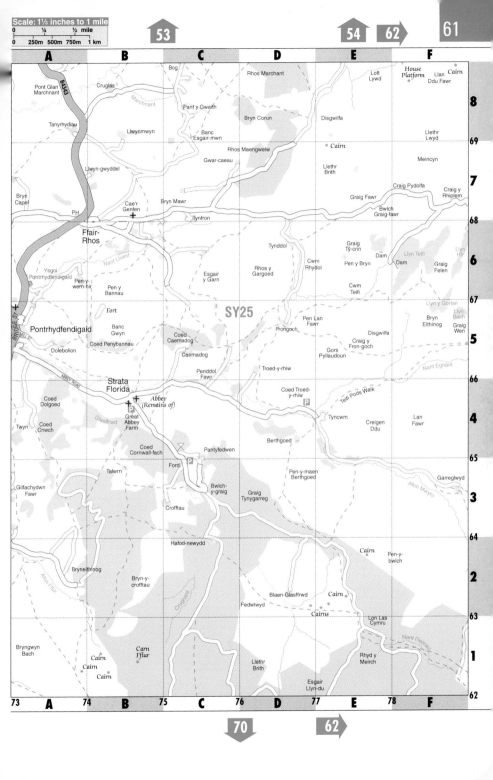

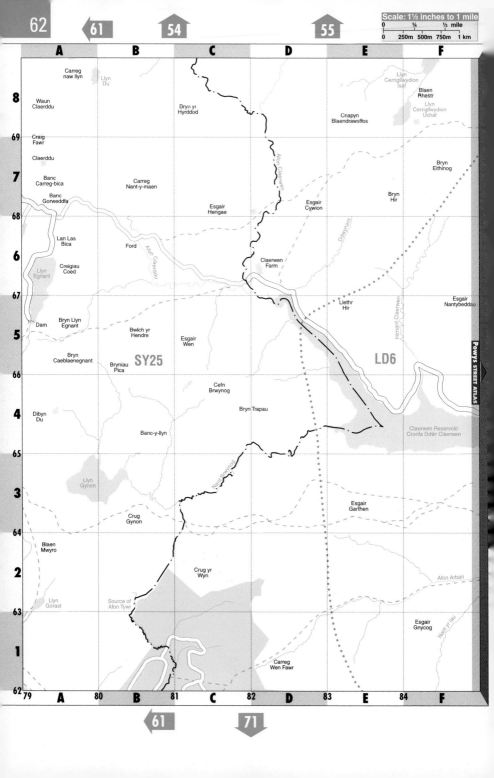

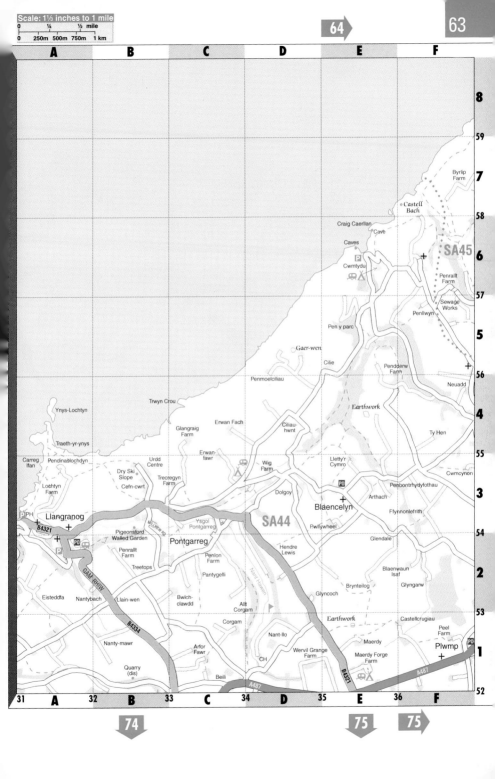

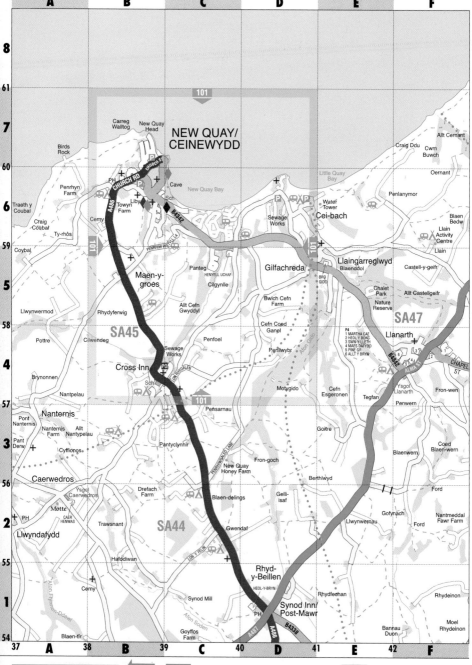

NEW QUAY/
CEINEWYDD

101

Carreg
Walltog
New Quay
Head

Birds
Rock

Allt Cernant

Cwm
Buwch

Craig Ddu

Penrhyn
Farm

CHURCH RD
PH
P
Cave
New Quay Bay

Little Quay
Bay

Penlanymor

Oernant

Traeth y
Coubal

Craig
Coubal

Ty-rhôs

Towyn
Farm

Cemy

Libr
Sch

PENRHIW PIST FELLA
B4342

A486

101

P

Water
Tower

Cei-bach

P

Sewage
Works

Blaen
Bedw

Llain
Activity
Centre

Coybal

Maen-y-
groes

Panteg
HENVLLL UCHAF

Cilgynlle

Gilfachreda

Blaenddol

Llaingarreglwyd

Castell-y-geifr

Llain

Rhydyferwig

Allt Cefn
Gwyddyl

BRO
GIDD

Chalet
Park
Nature
Reserve

Allt Castellgeifr

SA47

Llwynwermod

SA45

Penfoel

Bwlch Cefn
Farm

Cefn Coed
Ganel

F4
1 MARTHA CAE
2 HEOL Y BONS
3 SWN-Y-LLETH
4 MAES DAFYDD
5 PINE GR
6 ALLT Y BRYN

Llanarth

Pottre

Cilwendeg

Perllwybr

B4342

CHAPEL
ST

Brynonnen

Sewage
Works

Cross Inn

PO
Sch

LON TRFDDELEN

Motygido

Cefn
Esgeronen

Tegfan

Ysgol
Llanarth

Penwern

Fron-wen

Nantpelau

101

Pensarnau

Goitre

Pont
Nanternis

Nanternis

Nanternis
Farm

Allt
Nantypelau

Cyffiongos

Pantyclynhir

Fron-goch

Berthlwyd

Blaenwern

Coed
Blaen-wern

Pant
Derw

PERTHGELED LAN

New Quay
Honey Farm

Gelli-
isaf

Gofynach

Ford

Nantmeddal
Fawr Farm

Caerwedros

Ysgol
Caerwedros

Drefach
Farm

Blaen-delings

Llwynwernau

Ford

Motte

CAER
HENWAS

PH

Trawsnant

SA44

Gwendaf

Llwyndafydd

Hafodiwan

LON Y FELIN

Rhyd-
y-Beillen

HEOL-Y-BRYN

Rhydfechan

Rhydeinon

Cemy

Afon Ffynnon-Ddew

Synod Mill

Afon Soden

PH

Synod Inn/
Post-Mawr

Bannau
Duon

Moel
Rhydeinon

Blaen-tir

Goyfos
Farm

A487

A486

B4338

37   A   38   B   39   C   40   D   41   E   42   F

For full street detail of the
highlighted area see page 101.

63 75   76

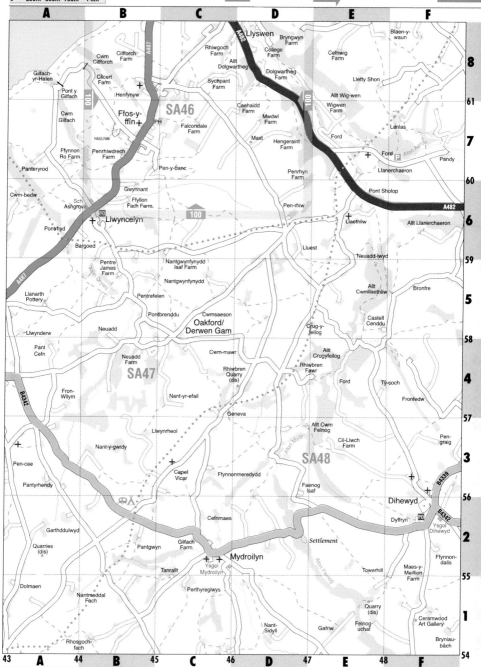

A   **B**   **C**   **D**   **E**   **F**

Llyswen

Blaen-y-waun

Cwm Clifforch
Clifforch Farm

Rhiwgoch Farm

Bryngwyn Farm

College Farm

Cefnwig Farm

Gilfach-yr-Halen
Pont y Gilfach

Cilcert Farm

Allt Dolgwartheg

Dolgwartheg Farm

Lletty Shon

Henfynyw

Sychpant Farm

Allt Wig-wen

SA46

Caehaidd Farm

Wigwen Farm

Lanlas

Ffos-y-ffin

PH

Falcondale Farm

Mwdwl Farm

Ford

Afon Aeron

HAULFAN

Mast

Hengeraint Farm

Ford

Pandy

Ffynnon Ro Farm

Penrhiwdrech Farm

Penrhyn Farm

Ford

Llanerchaeron

Panteryrod

Pen-y-banc

Gwynnant

Pont Sholop

Cwm-bedw

Sch Ashgrove

Ffyllon Fach Farm.

Pen-rhiw

A482

Pontrhyd

PO

Llwyncelyn

100

Llaethliw

Allt Llanerchaeron

Bargoed

Afon Drywi

Lluest

Llanarth Pottery

Pentre James Farm

Nantgwynfynydd Isaf Farm

Neuadd-lwyd

Bronfre

Nantgwynfynydd

Allt Cwmllaethliw

Llwynderw

Pentrefelen

Pant Cefn

Pontbrenddu

Oakford/ Derwen Gam

Cwmsaeson

Crug-y-feilog

Castell Cenddu

Neuadd

SA47

Cwm-mawr

Allt Crugyfeilog

Neuadd Farm

Rhiwbren Quarry (dis)

Rhiwbren Fawr

Ty-coch

Fron-Wilym

Nant-yr-efail

Ford

Fronfedw

Geneva

Allt Cwm Felnog

Pen-graig

Llwynrheol

Afon Mydr

Cil-Llwch Farm

B4342

Nant-y-gwrdy

SA48

Pen-cae

Capel Vicar

Ffynnonmeredydd

B4339

Pantyrhendy

Faenog Isaf

Dihewyd

Dyffryn

PO

B4342

Cefnmaes

Settlement

Garthddulwyd

Ysgol Dihewyd

Quarries (dis)

Pantgwyn

Gilfach Farm

Towerhill

Maes-y-Meillion Farm

Ffynnon-dalis

Dolmaen

Mydroilyn

Tanrallt

Ysgol Mydroilyn

Afon Felnog

Nantmeddal Fech

Perthyreglwys

Quarry (dis)

Ceramwood Art Gallery

Nant-Sidyll

Gafriw

Feinog-uchaf

Bryniau-bâch

Rhosgoch-fach

For full street detail of the highlighted area see page 100.

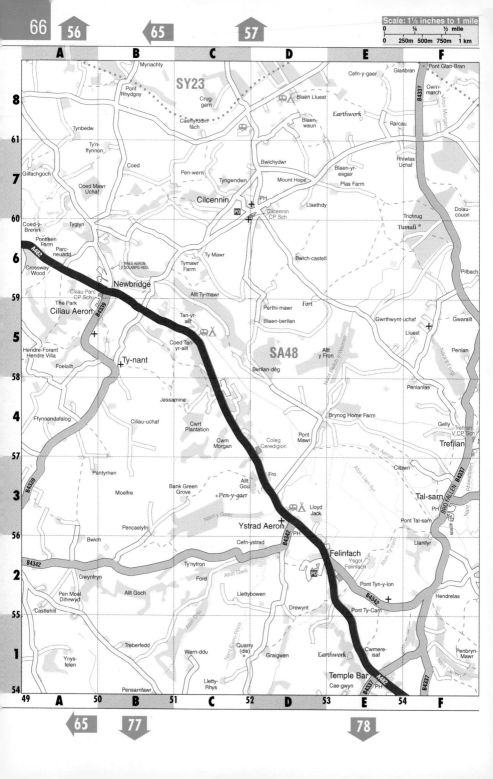

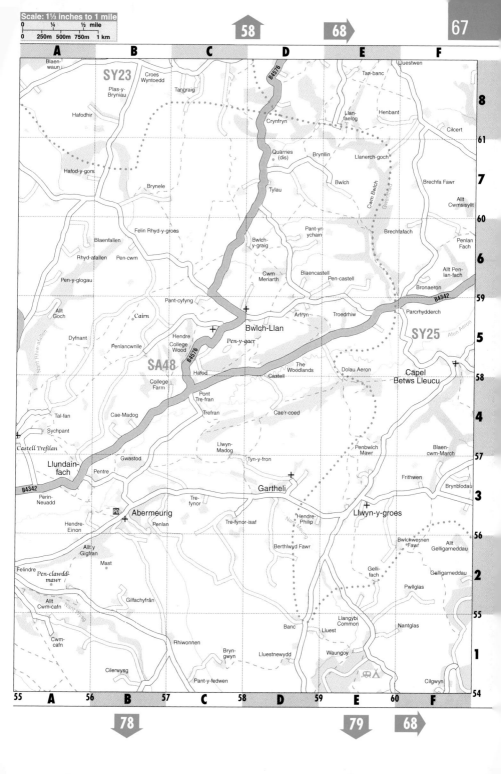

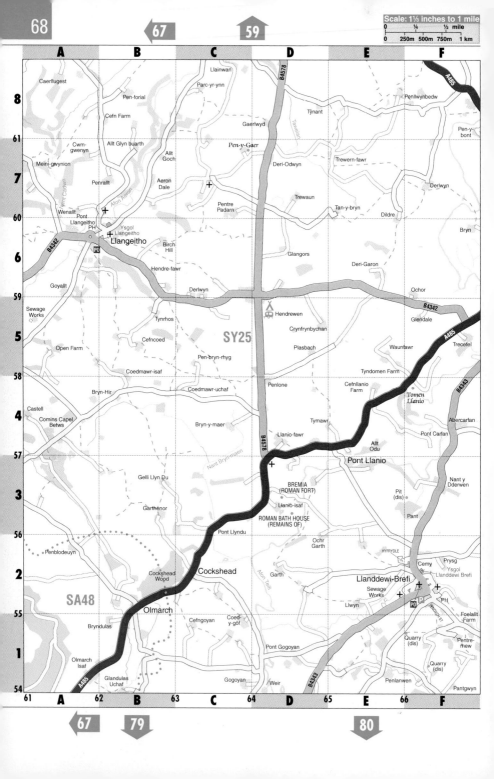

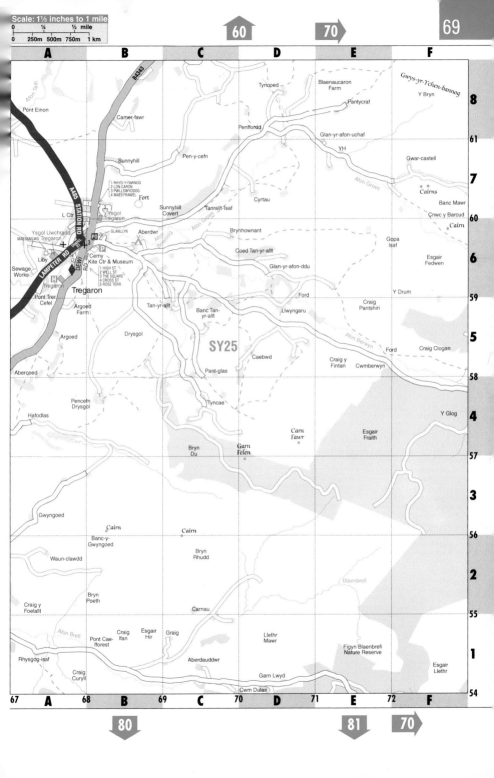

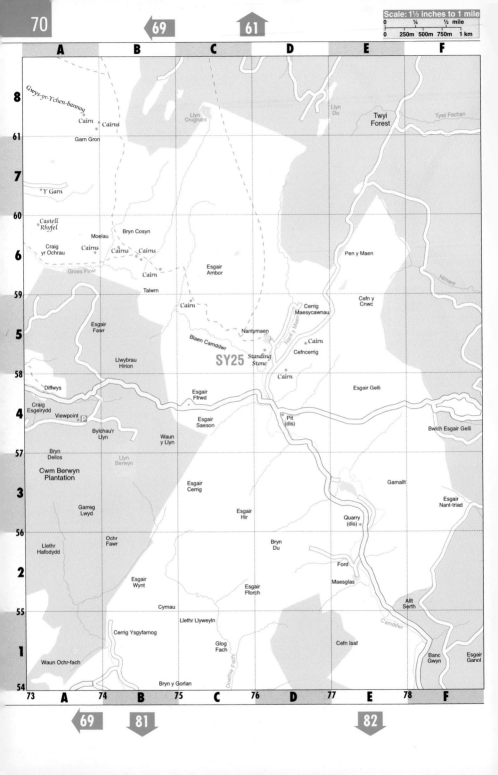

A   B   C   D   E   F

8

Gwys-yr-Ychen-bannog

Cairn   Cairns

61   Garn Gron

7   Y Garn

Llyn Du   Twyi Forest   Tywi Fechan

60   Castell Rhyfel

6   Craig yr Ochrau   Moelau   Bryn Cosyn
Cairns   Cairns   Cairns   Pen y Maen

Groes Fawr   Cairn

Cairn   Esgair Ambor   Hirnant

59   Cairn   Cefn y Cnwc

Talwrn

Cerrig Maesycawnau

5   Esgair Fawr   Nant y Maen

Blaen Camddwr   Nantymaen   Cairn

SY25   Standing Stone   Cefncerrig

Llwybrau Hirion

58   Cairn

Diffwys   Esgair Ffrwd   Esgair Gelli

4   Craig Esgeirydd   Viewpoint   P   Esgair Saeson   Pit (dis)   Bwlch Esgair Gelli

Bylchau'r Llyn   Waun y Llyn

57   Bryn Deilos
Llyn Berwyn

Cwm Berwyn Plantation   Esgair Cerrig   Gamallt

3   Garreg Lwyd   Esgair Hir   Quarry (dis)   Esgair Nant-triad

56   Llethr Hafodydd   Ochr Fawr   Bryn Du   Ford   Maesglas

2   Esgair Wynt   Esgair Fforch   Allt Serth

Cyrnau   Camddwr

55   Llethr Llyweyln

Cerrig Ysgyfarnog   Glog Fach   Cefn Isaf

1   Waun Ochr-fach   Banc Gwyn   Esgair Ganol

Doethie Fach

54   Bryn y Gorlan

73   A   74   B   75   C   76   D   77   E   78   F

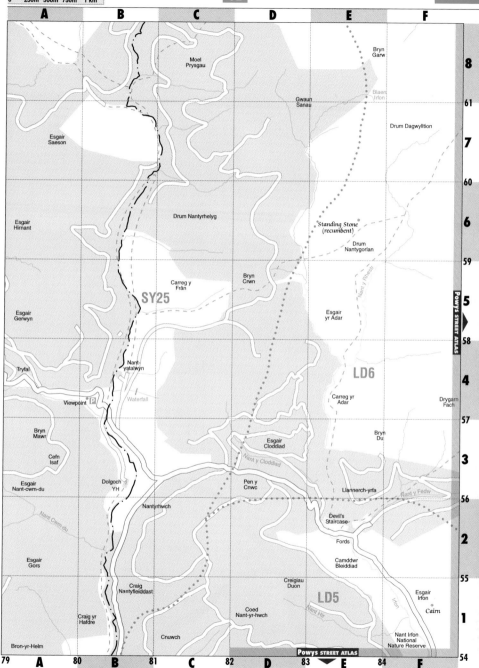

A · B · C · D · E · F

8
61
7
60
6
59
5
58
4
57
3
56
2
55
1
54

Bryn Garw

Blaen Irfon

Gwaun Sanau

Drum Dagwylltion

Moel Prysgau

Esgair Saeson

Drum Nantyrhelyg

Standing Stone (recumbent)

Drum Nantygorlan

Esgair Hirnant

Carreg y Frân

Bryn Crwn

SY25

Esgair yr Adar

Nant y Rhedr

Esgair Gerwyn

Nant-ystalwyn

LD6

Tryfal

Waterfall

Carreg yr Adar

Drygarn Fach

Viewpoint

Bryn Mawr

Esgair Cloddiad

Bryn Du

Cefn Isaf

Nant y Cloddiad

Esgair Nant-cwm-du

Dolgoch YH

Pen y Cnwc

Llannerch-yrfa

Nant y Fedw

Nantyrhwch

Devil's Staircase

Nant Cwm-du

Fords

Camddwr Bleiddiad

Esgair Gors

Creigiau Duon

LD5

Esgair Irfon

Craig Nantyfleiddast

Nant Hir

Irfon

Cairn

Craig yr Hafdre

Coed Nant-yr-hwch

Nant Irfon National Nature Reserve

Bron-yr-Helm

Cnuwch

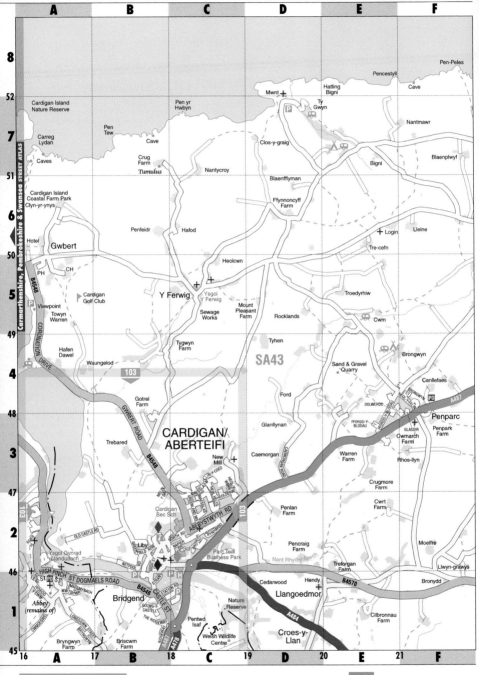

Carmarthenshire, Pembrokeshire & Swansea STREET ATLAS

8

52

7

51

6

50

5

49

4

48

3

47

2

46

1

45

A   B   C   D   E   F

Pen-Peles

Pencestyll

Cave

Mwnt

Hatling Bigni

Ty Gwyn

Nantmawr

Cardigan Island Nature Reserve

Pen yr Hwbyn

Clos-y-graig

Blaenplwyf

Carreg Lydan

Pen Tew

Cave

Bigni

Caves

Crug Farm

Tumulus

Nantycroy

Blaenfflyman

Cardigan Island Coastal Farm Park

Clyn-yr-ynys

Penfeidr

Hafod

Ffynnoncyff Farm

Login

Lleine

Hotel

Gwbert

Tre-cefn

PH

CH

Heolcwn

Troedyrhiw

Viewpoint

Cardigan Golf Club

Y Ferwig

Ysgol Y Ferwig

Mount Pleasant Farm

Rocklands

Cwm

Towyn Warren

Sewage Works

Hafen Dawel

Waungelod

Tygwyn Farm

Tyhen

SA43

Sand & Gravel Quarry

Brongwyn

103

Gotrel Farm

Ford

Canllefaes

Penparc

Trebared

CARDIGAN/ ABERTEIFI

Glanllynan

Caemorgan

Warren Farm

DOLWERDD

PO

Penpark Farm

Cwmarch Farm

GLASDIR

New Mill

Rhos-llyn

Cardigan Sec Sch

ABERYSTWYTH RD

Crugmore Farm

Cwrt Farm

103

Penlan Farm

Moelfre

Lib

Ysgol Gynrad Llandduoch

Pencraig Farm

Llwyn-grawys

HIGH FINCH ST DOGMAELS ROAD

Parc Teifi Business Park

Nant Rhyd-y-fuwch

Treforgan Farm

Bronydd

Bridgend

Cedarwood

Hendy

B4570

Llangoedmor

Cilbronnau Farm

Abbey (remains of)

Pentwd Isaf

Nature Reserve

A484

Croes-y-Llan

Bryngwyn Farm

Briscwm Farm

Welsh Wildlife Centre

For full street detail of the highlighted area see page 103.

83

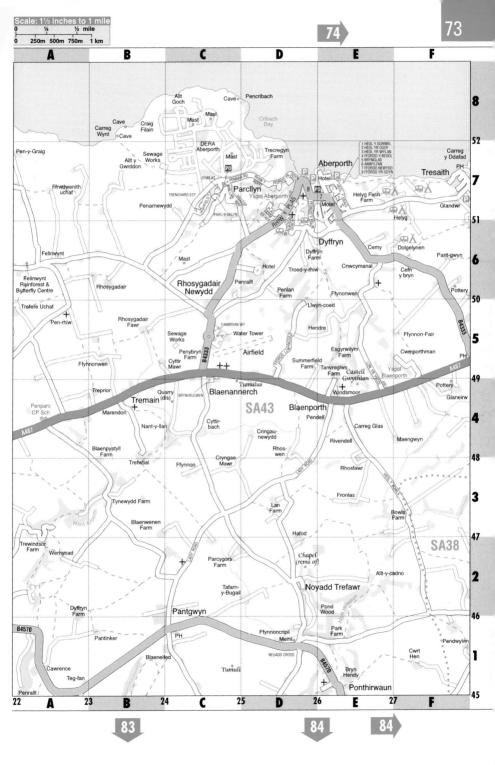

A B C D E F

8

Allt
Goch
Cave   Pencribach

Cave   Craig
Carreg   Filain   Mast   Mast
Wynt   Cave

Cribach
Bay

52

Pen-y-Graig   DERA
Aberporth   Mast   Trecregyn
Allt y   Sewage   Farm   Aberporth   1 HEOL Y GORWEL
Gwrddon   Works   2 HEOL YR OGOF   Carreg
Ffrwdwenith   PO   3 HEOL YR WYLAN   y Ddafad
uchaf   ERWLAS   PENRALLT RD   RHIW Y DOLTN   Hotel   P   P   4 FFORDD-Y-BEDOL   Tresaith   PH
                                                                                5 BRYNGLAS
                                Parcllyn   PO   6 ANWYLFAN   7
Felinwynt   TRENCHARD EST   Ysgol Aberporth   7   Motel   Helyg Fach   7 FFORDD NEWYDD
                                                            Farm   8 FFORDD YR ODYN

                    Penarnewydd   PARC-Y-DELYN   Helyg   Glandwr   51

                                                                        Dyffryn

Felinwynt   Mast   Dyffryn   Cemy   Dolgelynen   Pant-gwyn
Rainforest &   Rhosygadair   Hotel   Farm   Cnwcymanal   Cefn   6
Butterfly Centre   Troed-y-rhiw   y bryn
Trefere Uchaf   Rhosygadair   Penrallt   Ffynnonwen   Pottery
Pen-rhiw   Newydd   Penlan   50
                                                Farm
Ffynnonwen   Rhosygadair   Llwyn-coed   Esgyrwilym   Cwmporthman   B4333
          Fawr   Sewage   CAMBRIAN WY   Heridre   Farm   Ffynnon-Fair
          Works   Water Tower   Summerfield   5
Treprior   Penybryn   Airfield   Farm   Tanyreglws   Castell   Ysgol
          Farm   Farm   Gwythian   Blaenporth   PH
Tremain   Cyttir   Tumulus   ++   Windsmoor   Pottery   A487
          Mawr   Quarry   BRYNHEULWEN   Blaenannerch   Glaneirw   49
          (dis)
Marendon   SA43   Blaenporth
                              Pendell   Carreg Glas   Maengwyn   4
Nant-y-llan   Cyttir-   Cringau-   Rivendell
          bach   newydd   Rhos-   Rhosfawr   48
Blaenpystyll   Ffynnon   Cryngae   wen   Fronlas   Bowls   3
Farm   Trefwtial   Mawr   Hafod   Farm
Tynewydd Farm   Lan   Chapel   Allt-y-cadno   SA38   47
          Farm   (rems of)
Trewindsor   Wernynad   Parcygors   Noyadd Trefawr   2
Farm   Farm   Tafarn-y-   Pond
Dyffryn   Bugail   Wood   Park   46
Farm   Pantgwyn   Farm
B4570   PH   Ffynnoncripil   Cwrt   1
Pantinker   Blaeneifed   Meml   Pendwylan   Hen
          NEUADD CROSS   B4570
Cawrence   Teg-fan   Tumuli   Bryn   Ponthirwaun   45
Penrallt   Hendy

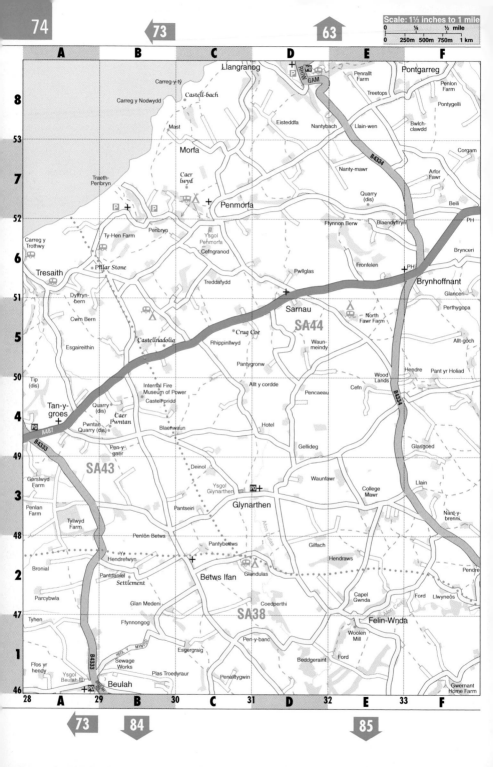

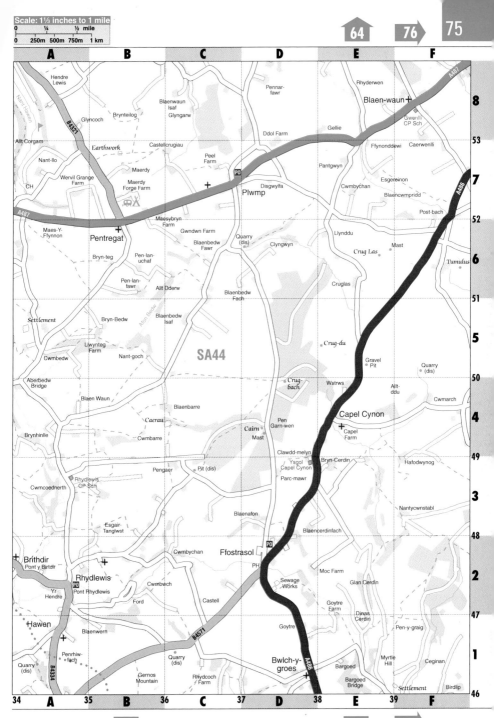

A   B   C   D   E   F

Hendre Lewis
Nant Hawen
B4321
Glyncoch
Brynteilog
Blaenwaun Isaf Glyngarw
Pennar-fawr
Rhyderwen
Blaen-waun
Gwerlli CP Sch

8

Allt Corgam
Earthwork
Castellcrugiau
Peel Farm
Ddol Farm
Gellie
Ffynonddewi
Caerwenlli

53

Nant-llo
Maerdy
Pantgwyn
Esgereinon

CH
Wervil Grange Farm
Maesybryn Farm
Maerdy Forge Farm
PO
Disgwylfa
Plwmp
Cwmbychan
Blaencwmpridd
Post-bach

7

A487
Maesybryn Farm
Gwndwn Farm
Quarry (dis)
Clyngwyn
Llynddu
Mast

52

Maes-Y-Ffynnon
Pentregat
Bryn-teg
Pen-lan-uchaf
Blaenbedw Fawr
Crug Las
Tumulus

6

Pen-lan-fawr
Allt Dderw
Blaenbedw Fach

51

Settlement
Bryn-Bedw
Blaenbedw Isaf
Aber Bedw

Llwynteg Farm
Nant-goch
SA44
Crug-du

5

Cwmbedw
Gravel Pit
Quarry (dis)

Aberbedw Bridge
Blaen Waun
Crug-bach
Wstrws
Allt-ddu
Cwmarch

50

Brynhinlle
Caerau
Blaenbarre
Cairn
Pen Garn-wen
Capel Cynon

4

Cwmbarre
Mast
Clawdd-melyn
Capel Farm
Hafodwynog

Pengaer
Pit (dis)
Ysgol Capel Cynon
Bryn-Cerdin

49

Rhydlewis CP Sch
Parc-mawr
Nantycwnstabl

3

Cwmcoednerth
Esgair-Tanglwst
Blaenafon
Blaencerdinfach

Brithir
Pont y Birtdir
Cwmbychan
Ffostrasol
PO

48

Rhydlewis
PO
Pont Rhydlewis
PH
Moc Farm
Glan Cerdin

2

Yr Hendre
Cwmbwch
Sewage Works
Goytre Farm
Dinas Cerdin

Hawen
Ford
Castell
Goytre
Pen-y-graig

47

Blaenwern
B4571
Myrtle Hill
Ceginan

1

Penrhiw-fach
Quarry (dis)
Rhydcoch Farm
Bwlch-y-groes
A486
Bargoed
Settlement
Birdlip

Quarry (dis)
B4334
Gernos Mountain
Bargoed Bridge

46

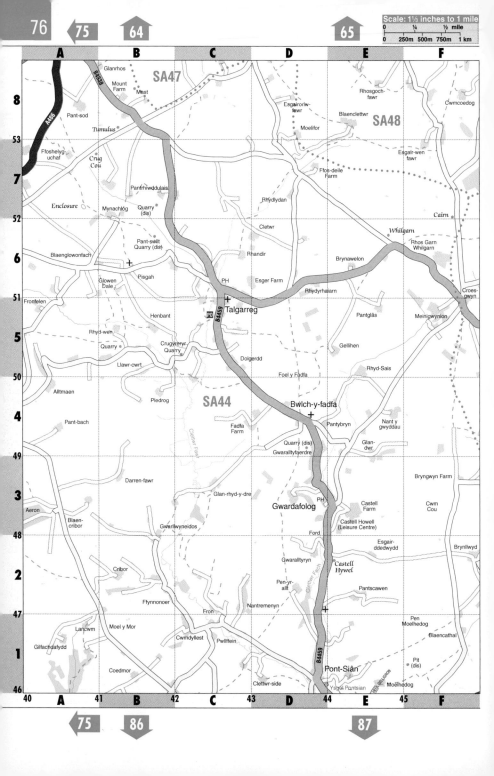

Scale: 1⅓ inches to 1 mile

0   ¼   ½ mile
0 250m 500m 750m 1 km

A   B   C   D   E   F

8

Glanrhos
B4338
Mount
Farm
Mast
SA47
Rhosgoch-
fawr
Cwmcoedog
Pant-sod
Esgaironiw-
fawr
Blaenclettwr
SA48

53
Ffoshelyg-
uchaf
A486
Tumulus
Moelifor
Esgair-wen
fawr

7
Crug
Cou
Pantrhiwddulais
Rhydlydan
Ffos-deile
Farm

52
Enclosure
Mynachlóg
Quarry
(dis)
Cletwr
Cairn
Whilgarn

6
Blaenglowonfach
Pant-swilt
Quarry (dis)
Rhandir
Rhos Garn
Whilgarn
Brynawelon

51
Glowen
Dale
Pisgah
PH
Esger Farm
Rhydyrhaiarn
Croes-
gwyn
Fronfelen
Henbant
B4459
Talgarreg
Pantglâs
Meinigwynion

5
Rhyd-wen
Crugyreryr
Quarry
Gellihen
Quarry
Llawr-cwrt
Dolgerdd
Rhyd-Sais
Alltmaen
Pledrog
Foel y Fadfa

4
SA44
Pant-bach
Fadfa
Farm
Bwlch-y-fadfa
Pantybryn
Nant y
gwyddau
Glan-
dwr

49
Darren-fawr
Clettwr Fawr
Quarry (dis)
Gwaralltyfaerdre
Bryngwyn Farm

3
Aeron
Glan-rhyd-y-dre
Gwardafolog
PH
Castell
Farm
Cwm
Cou
Blaen-
cribor
Gwarllwyneidos
Castell Howell
(Leisure Centre)

48
Ford
Esgair-
ddedwydd
Brynllwyd

2
Cribor
Gwaralltyryn
Castell
Hywel
Pantscawen
Ffynnonoer
Pen-yr-
allt
Clettwr Fach

47
Fron
Nantremenyn
Pen
Moelhedog
Lancwm
Moel y Mor
Blaencathal
Gilfachdafydd
Cwmdyllest
Pwllffein
B4459
Pit
(dis)

1
Coedmor
Pont-Siân
Moelhedog
Clettwr-side
Ysgol Pontsian

46
40   A   41   B   42   C   43   D   44   E   45   F

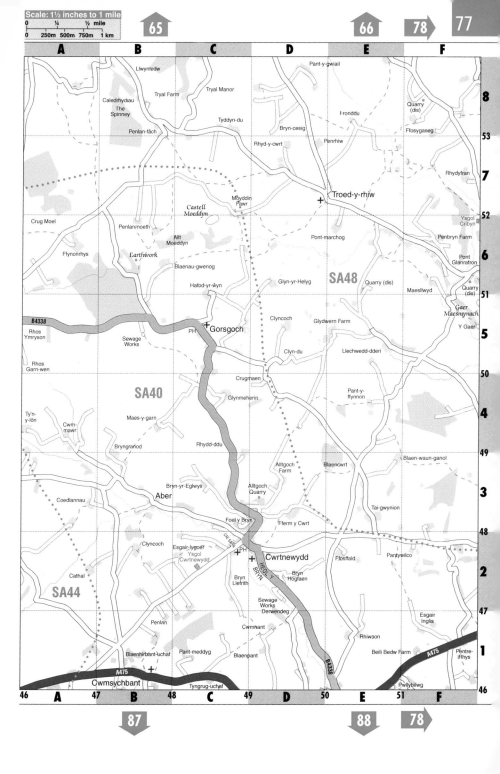

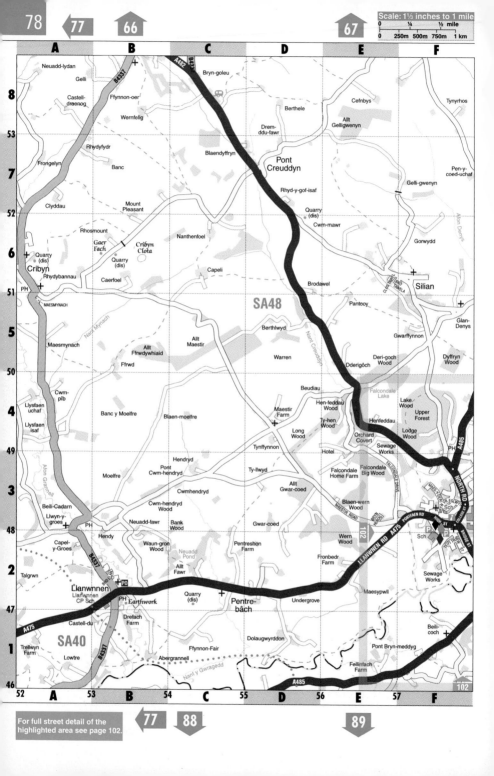

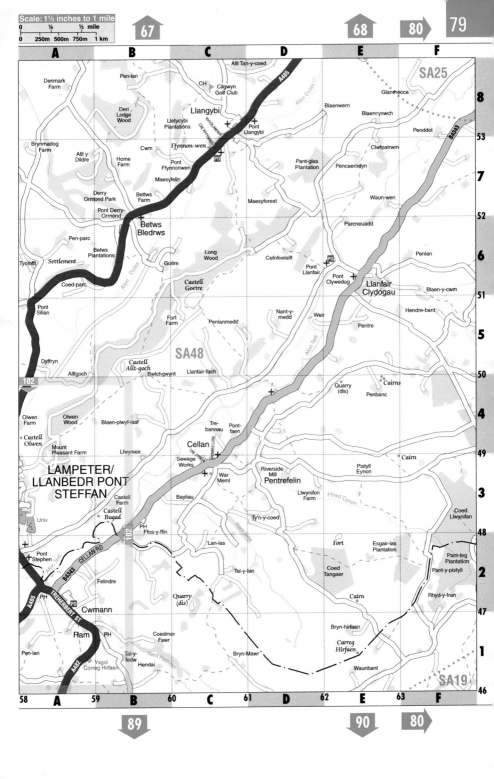

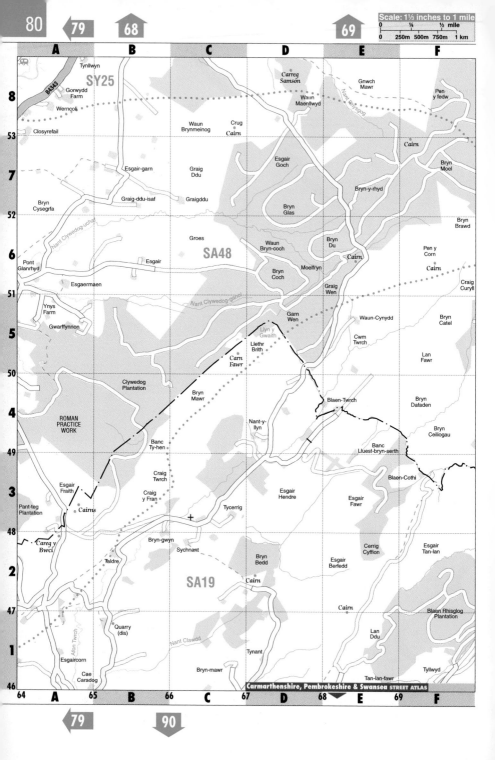

A **B** **C** **D** **E** **F**

8

Tynllwyn

SY25

B4343

Gorwydd Farm

Werncoli

Carreg Samson

Waun Maenllwyd

Gnwch Mawr

Nant Rhydspog

Pen y fedw

53

Closyrefail

Waun Brynmeinog

Crug Cairn

Cairn

7

Esgair-garn

Graig Ddu

Esgair Goch

Bryn-y-rhyd

Bryn Moel

Bryn Cysegrfa

Graig-ddu-isaf

Graigddu

Bryn Glas

Bryn Brawd

52

Nant Clywedog-uchaf

Groes

SA48

Waun Bryn-coch

Bryn Du

Cairn

Pen y Corn

Cairn

6

Pont Glanrhyd

Esgair

Bryn Coch

Moelfryn

Craig Curyll

Esgaermaen

Graig Wen

51

Nant Clywedog-ganol

Ynys Farm

Garn Wen

Waun-Cynydd

Bryn Catel

5

Gwarffynnon

Llyn y Gwaith

Llethr Brith

Cwm Twrch

Lan Fawr

Carn Fawr

50

Clywedog Plantation

Bryn Mawr

Blaen-Twrch

Bryn Dafaden

4

ROMAN PRACTICE WORK

Nant-y-llyn

Bryn Ceiliogau

Banc Ty-hen

Banc Lluest-bryn-serth

49

Craig Twrch

Blaen-Cothi

Esgair Fraith

Craig y Fran

Esgair Hendre

Esgair Fawr

3

Pant-teg Plantation

Cairns

Tycerrig

48

Careg y Bwci

Bryn-gwyn

Sychnant

Cerrig Cyffion

Esgair Tan-lan

Taldre

Bryn Bedd

Esgair Berfedd

2

SA19

Cairn

Cairn

47

Quarry (dis)

Nant Clawdd

Lan Ddu

Blaen Rhisglog Plantation

1

Afon Twrch

Esgaircorn

Tynant

Tyllwyd

46

Cae Caradog

Bryn-mawr

Tan-lan-fawr

64 **A** **65** **B** **66** **C** **67** **D** **68** **E** **69** **F**

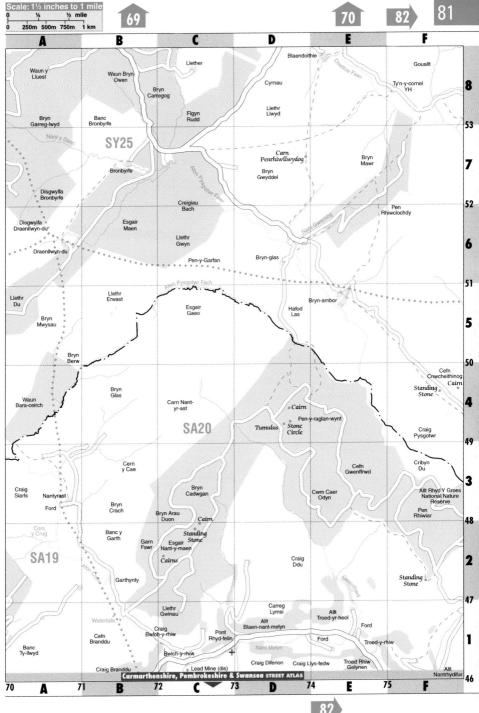

A   B   C   D   E   F

8

Waun y Lluest

Waun Bryn Owen

Llether

Bryn Carregog

Blaendoithie

Doethie Fawr

Cyrnau

Gouallt

Ty'n-y-cornel YH

53

Bryn Garreg-lwyd

Banc Bronbyrfe

Figyn Rudd

Llethr Llwyd

SY25

Nant y Garn

Bronbyrfe

Carn Penrhiwllwydog

Bryn Gwyddel

Bryn Mawr

7

Disgwylfa Bronbyrfe

Creigiau Bach

Pen Rhiwclochdy

52

Disgwyifa Draenllwyn-du

Esgair Maen

Llethr Gwyn

Draenllwyn-du

Pen-y-Garfan

Bryn-glas

6

Afon Pysgotwr Fawr

Nant Gwennog

Afon Pysgotwr Fach

51

Llethr Du

Llethr Erwast

Esgair Gaeo

Hafod Las

Bryn-ambor

5

Bryn Mwysau

Bryn Berw

Bryn Glas

Cefn Cnwcheithinog

Standing Stone

Cairn

50

Waun Bara-ceirch

Carn Nant-yr-ast

Cairn

SA20

Pen-y-raglan-wynt

Tumulus   Stone Circle

Craig Pysgotwr

4

49

Cern y Cae

Cefn Gwenffrwd

Cribyn Du

3

Craig Siarls

Nantyrast

Ford

Bryn Crach

Bryn Cadwgan

Bryn Arau Duon

Cairn

Cwm Caer Odyn

Allt Rhyd Y Groes National Nature Reserve

Pen Rhiwiar

48

Cors y Crug

Banc y Garth

Garn Fawr

Standing Stone

Esgair Nant-y-maen

Craig Ddu

Standing Stone

Gwenffrwd

2

SA19

Afon Cefn

Cairns

47

Garthynty

Llethr Gwinau

Carreg Lymsi

Allt Troed-yr-heol

Ford

Waterfalls

Cefn Branddu

Craig Bwlch-y-rhiw

Allt Blaen-nant-melyn

Pont Rhyd-felin

Ford

Troed-y-rhiw

1

Banc Ty-llwyd

Bwlch-y-rhiw

Lead Mine (dis)

Nant Melyn

Craig Diferion

Craig Llys-fedw

Troed Rhiw Gelynen

Allt Nantrhydifor

46

Craig Branddu

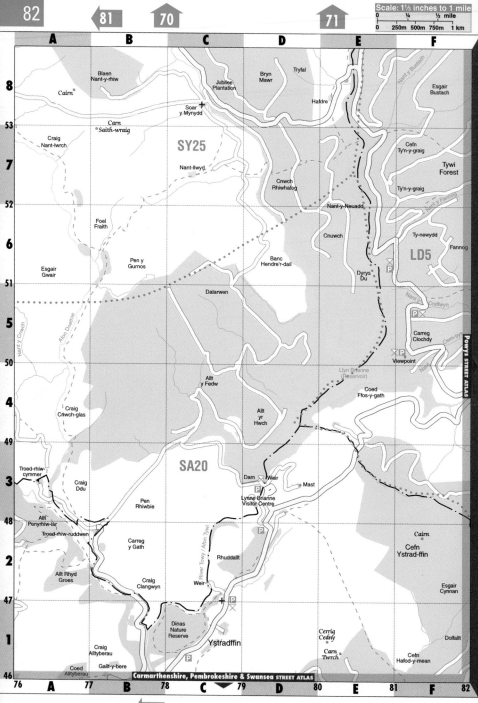

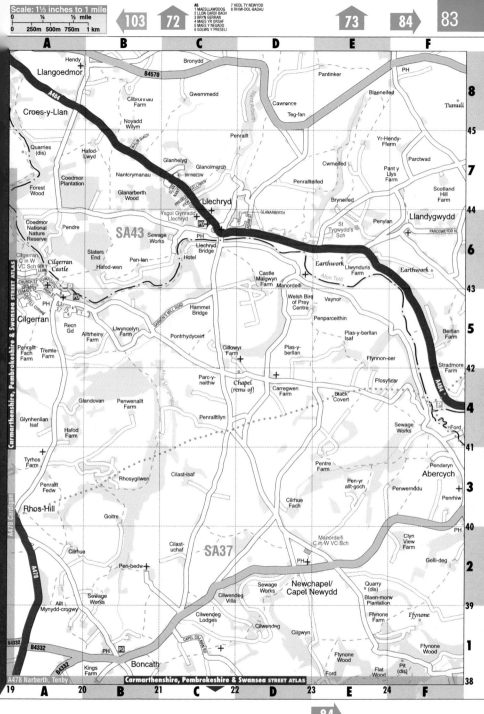

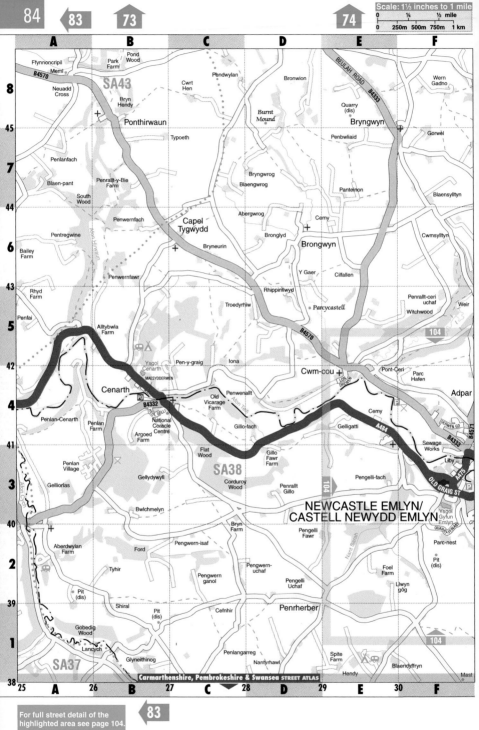

A   **B**   **C**   **D**   **E**   **F**

8

Ffynnoncripil
Meml
B4570

Neuadd
Cross

Penlanfach

Blaen-pant

Pentregwine

Bailey
Farm

Rhyd
Farm

Penfai

Park
Farm

Pond
Wood

SA43

Bryn
Hendy

Ponthirwaun

Penrallt-y-Bie
Farm

South
Wood

Penwernfach

Penwernfawr

Alltybwla
Farm

Cwrt
Hen

Pendwylan

Typoeth

Capel
Tygwydd

Bryneurin

Troedyrhiw

BEULAH ROAD

Bronwion

Burnt
Mound

Bryngwrog

Blaengwrog

Abergwrog

Bronglyd

Rhippinliwyd

Parcycastell

B4570

B4333

Quarry
(dis)

Bryngwyn

Penbwliaid

Panteinon

Cemy

Brongwyn

Y Gaer

Cilfallen

Penrallt-ceri
uchaf

Witchwood

Wern
Gadno

Gorwel

Blaensylltyn

Cwmsylltyn

Weir

104

45

7

44

6

43

5

42

4

41

3

40

2

39

1

38

Ysgol
Cenarth

MAESYDDERWEN

Cenarth

PO
B4332

COED GELLI

National
Coracle
Centre

Penlan-Cenarth

Penlan
Farm

Argoed
Farm

Penlan
Village

Gelliorlas

Aberdwylan
Farm

Ford

Tyhir

Pit
(dis)

Shiral

Gobedig
Wood

Lancych

SA37

Pen-y-graig

Pen-y-graig

Iona

Old
Vicarage
Farm

Gillo-fach

Flat
Wood

Gellydywyll

Bwlchmelyn

Pengwern-isaf

Pengwern
ganol

Pit
(dis)

Glyneithinog

Penwenallt

Afon Teifi

SA38

Corduroy
Wood

Bryn
Farm

Pengwern-
uchaf

Cefnhir

Penlangarreg

Cwm-cou

LON DERWEN

Gilio
Fawr
Farm

Penrallt
Gillo

Pengelli-fach

Gelligatti

Gelligatti

Cemy

A484

Pengelli
Fawr

Pengelli
Uchaf

Penrherber

Nantyrhawl

Pont-Ceri

Parc
Hafen

Adpar

DERWEN GD

B4333

B4571

Sewage
Works

Liby

OLD GRAIG ST

A475

NEWCASTLE EMLYN/
CASTELL NEWYDD EMLYN

Ysgol
Gyfun
Emlyn

QUAY ST

Parc-nest

Pit
(dis)

Foel
Farm

Llwyn
gôg

Spite
Farm

Hendy

Blaendyffryn

Mast

104

Afon Hirwaun

Afon Cych

Nant Sarah

25   **A**   **26**   **B**   **27**   **C**   **28**   **D**   **29**   **E**   **30**   **F**

For full street detail of the
highlighted area see page 104.

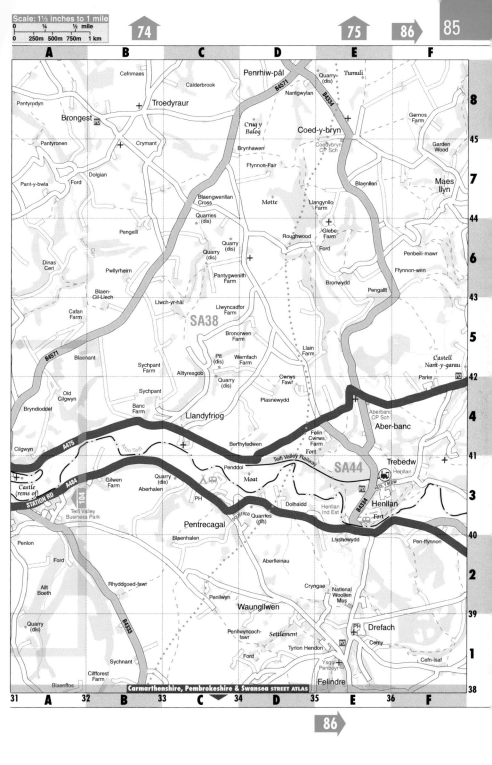

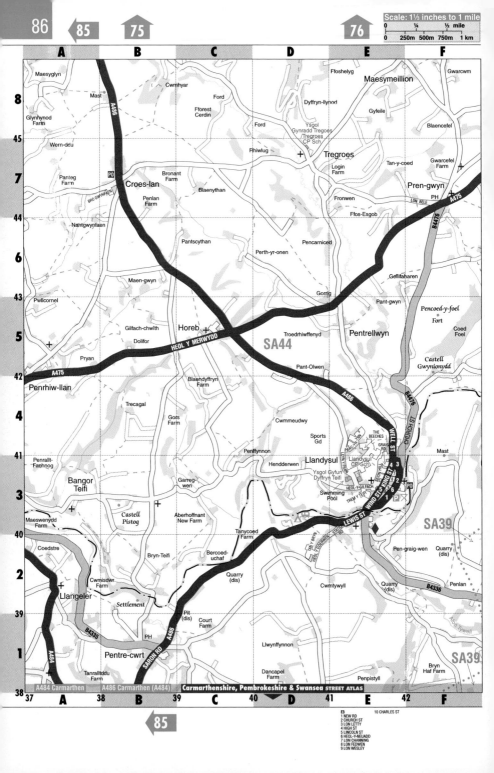

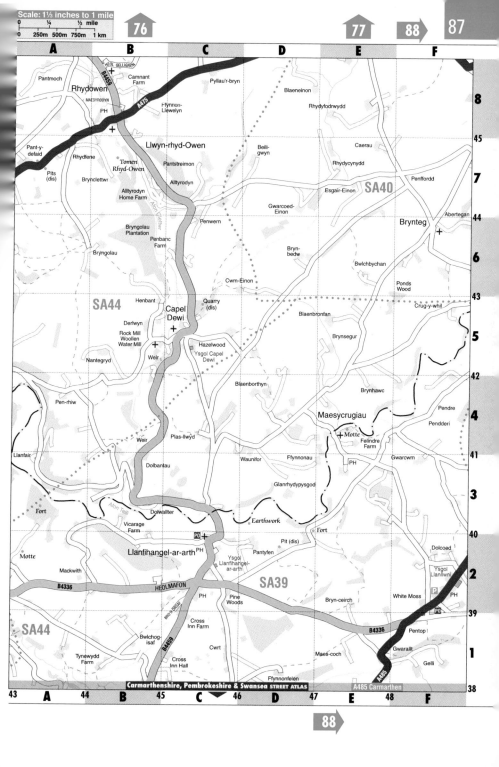

A   B   C   D   E   F

Pantmoch
Rhydowen
HEOL GELLIGROG
B4459
Camnant Farm
Pyllau'r-bryn
Blaeneinon
8
MAESYRODYN
PH
Ffynnon-Llewelyn
Rhydyfodrwydd
A475
Llwyn-rhyd-Owen
Beili-gwyn
Caerau
45
Pant-y-defaid
Rhydfene
Tomen Rhyd-Owen
Pantstreimon
Rhydycynydd
SA40
Penffordd
7
Pits (dis)
Brynclettwr
Alltyrodyn Home Farm
Alltyrodyn
Esgair-Einon
Gwarcoed-Einon
Abertegan
44
Bryngolau Plantation
Penwern
Bryn-bedw
Brynteg
Afon Clettwr
Penbanc Farm
Bwlchbychan
6
Bryngolau
Ponds Wood
Cwm-Einon
43
SA44
Henbant
Quarry (dis)
Blaenbronfan
Crug-y-whil
Capel Dewi
Derlwyn
Brynsegur
5
Rock Mill Woollen Water Mill
Hazelwood
Ysgol Capel Dewi
Nantegryd
Weir
42
Pen-rhiw
Blaenborthyn
Brynhawc
Weir
Maesycrugiau
Pendre
4
Plas-llwyd
Motte
Pendderi
Llanfair
Felindre Farm
Waunifor
Ffynnonau
PH
Gwarcwm
41
Dolbantau
Glanrhydypysgod
Fort
3
Afon Teifi
Dolwallter
Earthwork
Fort
40
Vicarage Farm
Pit (dis)
Motte
Llanfihangel-ar-arth
PO
PH
Pantyfen
Dolcoed
Mackwith
Ysgol Llanfihangel-ar-arth
Ysgol Llanllwni
2
B4336
HEOLMAFON
SA39
P
PH
PH
White Moss
39
SA44
Pine Woods
Bryn-ceirch
PO
BRO-R-TEIFI
Pentop
Cross Inn Farm
B4336
Tynewydd Farm
Bwlchog-isaf
Cwrt
Gwarallt
1
B4459
Cross Inn Hall
Maes-coch
Gelli
A485
Ffynnonfelen
38

43   A   44   B   45   C   46   D   47   E   48   F

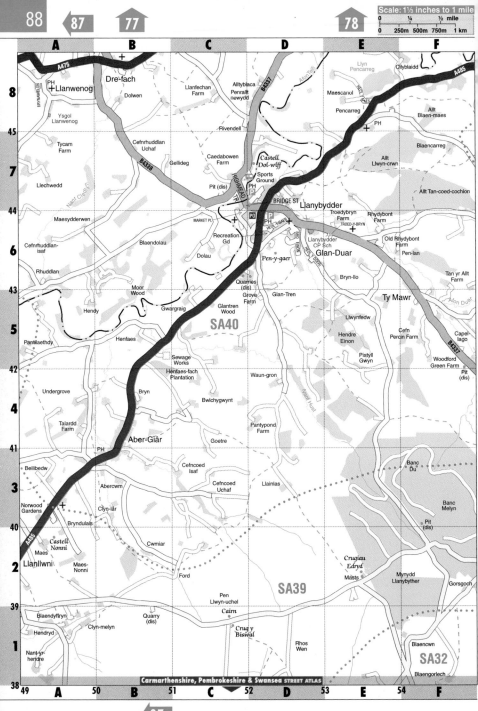

Scale: 1½ inches to 1 mile

0   ¼   ½   mile
0   250m 500m 750m 1 km

A   B   C   D   E   F

A475

Llyn Pencarreg

Cilyblaidd

A485

8

PH
Llanwenog

Dre-fach

Dolwen

Maescanol

Allt Blaen-maes

Llanfechan Farm

Alltyblaca

Penrallt newydd

Pencarreg

45

Ysgol Llanwenog

B4337

Afon Teifi

Allt Blaen-maes

Rivendell

PH

Blaencarreg

Tycam Farm

Cefnrhuddlan Uchaf

Allt Llwyn-crwn

7

Llechwedd

B4338

Gellideg

Caedabowen Farm

Castell Dol-wlff

Sports Ground

Allt Tan-coed-cochion

Pit (dis)

PH
P

Cefnrhuddlan-isaf

Maesydderwen

Market Pl

Recreation Gd

BRIDGE ST

Llanybydder

Troedybryn Farm

Rhydbont Farm

44

PO
P
PH

TROED-Y-BRYN

Old Rhydbont Farm

HEOL-Y-GAER

Llanybydder CP Sch

Pen-lan

6

Blaendolau

Dolau

Pen-y-gaer

Glan-Duar

Bryn-ilo

HEOL TEIFI

Tan yr Allt Farm

Rhuddlan

Moor Wood

Quarries (dis)

Grove Farm

Glan-Tren

Ty Mawr

Afon Duar

43

Gwargraig

Glantren Wood

Llwynfedw

Cefn Percin Farm

Capel-lago

Hendy

SA40

Hendre Einon

Pantilaethdy

Henfaes

Pistyll Gwyn

Woodford Green Farm

B4337

42

Sewage Works

Henfaes-fach Plantation

Waun-gron

Nant Hyst

Pit (dis)

Undergrove

Bryn

Bwlchygwynt

4

Talardd Farm

Pantypond Farm

Aber-Giâr

Goetre

41

PH

Cefncoed Isaf

Banc Du

Beilibedw

Abercwm

Clyn-iâr

Cefncoed Uchaf

Llainlas

3

Norwood Gardens

Banc Melyn

Bryndulais

Pit (dis)

40

A485

Castell Nonni

Cwmiar

Crugiau Edryd

Maes

Masts

Mynydd Llanybyther

Gorsgoch

2

Llanllwni

Maes-Nonni

Ford

Pen Llwyn-uchel

SA39

39

Blaendyffryn

Quarry (dis)

Cairn

Clyn-melyn

Crug y Biswal

Rhos Wen

Blaencwn

1

Hendryd

Nant-yr-heridre

Blaengorlech

SA32

Carmarthenshire, Pembrokeshire & Swansea STREET ATLAS

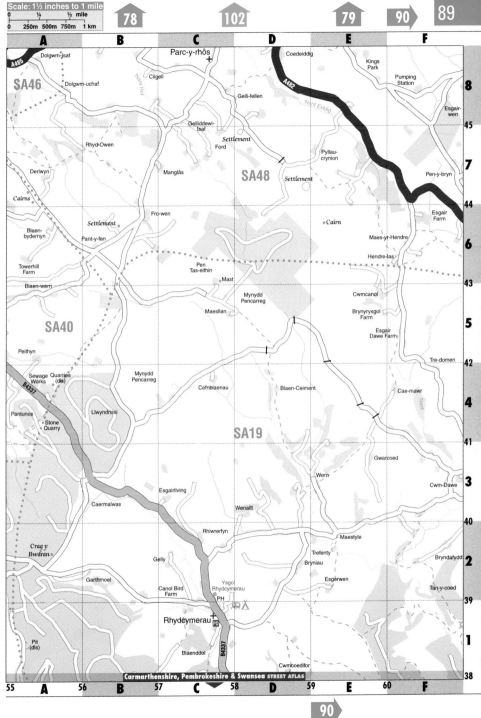

A **B** **C** **D** **E** **F**

A485
Dolgwm-isaf
SA46
Dolgwm-uchaf
Nant Heli
Cilgell
Parc-y-rhôs
Coedeiddig
Kings Park
Pumping Station
A482
Nant Eiddig
Esgair-wen
8
Gelli-fellen
Gelliddewi-Isaf
Settlement
Ford
45
Rhyd-Owen
Pyllau-crynion
7
Derlwyn
Manglâs
SA48
Settlement
Pen-y-bryn
Cairns
Fro-wen
Cairn
44
Esgair Farm
Settlement
Blaen-bydernyn
Pant-y-fen
Maes-yr-Hendre
6
Hendre-las
Towerhill Farm
Pen Tas-eithin
Mast
43
Blaen-wern
Mynydd Pencarreg
Cwmcanol
Maesllan
Brynyrysgol Farm
SA40
Esgair Dawe Farm
5
Peithyn
Tre-domen
42
Sewage Works
Quarries (dis)
Mynydd Pencarreg
Cefnblaenau
Blaen-Ceiment
Cae-mawr
B4337
Nant
4
Pantunos
Stone Quarry
Llwyndrissi
SA19
41
Gwarcoed
Esgairliving
Wern
Cwm-Dawe
3
Caermalwas
Wenallt
40
Rhiwrerfyn
Maestyle
Crag y Bwdran
Gelly
Trefenty
Bryniau
Bryndafydd
2
Garthmoel
Esgerwen
Tan-y-coed
Canol Bird Farm
Ysgo Rhydcymerau
39
PH
Pit (dis)
Rhydcymerau
B4337
1
Blaenddol
Cwmcoedifor
38

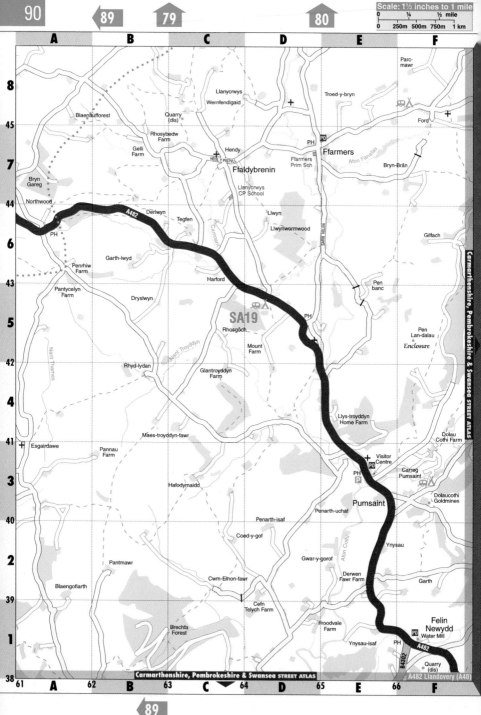

Scale: 1⅓ inches to 1 mile

0   ¼   ½ mile
0   250m 500m 750m 1 km

8

Parc-mawr

Blaenauforest

Llanycrwys
Wernfendigaid

Troed-y-bryn

Ford

45

Quarry
(dis)

Rhosybedw
Farm

PH
PQ

Ffarmers

7

Gelli
Farm

Hendy

Ffarmers
Prim Sch

Bryn-Brân

HEOL Y PISTYLL

Ffaldybrenin

Afon Fanalas

Bryn
Gareg

Llanycrwys
CP School

44

Northwood

A482

Derlwyn

Tegfen

Llwyn

Gilfach

PH

Llwynwormwood

SARN HELEN

6

Garth-lwyd

Pen
banc

Pantycelyn
Farm

Harford

PH

43

Pen
Lan-dalau

Enclosure

Dryslwyn

SA19

5

Rhosgôch

Rhyd-lydan

Mount
Farm

42

Glantroyddyn
Farm

4

Llys-troyddyn
Home Farm

Dolau
Cothi Farm

Maes-troyddyn-fawr

41

Esgairdawe

Pannau
Farm

Visitor
Centre

PQ

Carreg
Pumsaint

Hafodymaidd

Dolaucothi
Goldmines

3

PH
P

Pumsaint

40

Penarth-uchaf

Penarth-isaf

Coed-y-gof

Gwar-y-gorof

Ynysau

Afon Cothi

2

Pantmawr

Derwen
Fawr Farm

Garth

Blaengofiarth

Cwm-Einon-fawr

Felin
Newydd

PQ

Water Mill

39

Cefn
Telych Farm

Froodvale
Farm

PH

A482

Brechfa
Forest

Ynysau-isaf

B4302

Quarry
(dis)

1

38

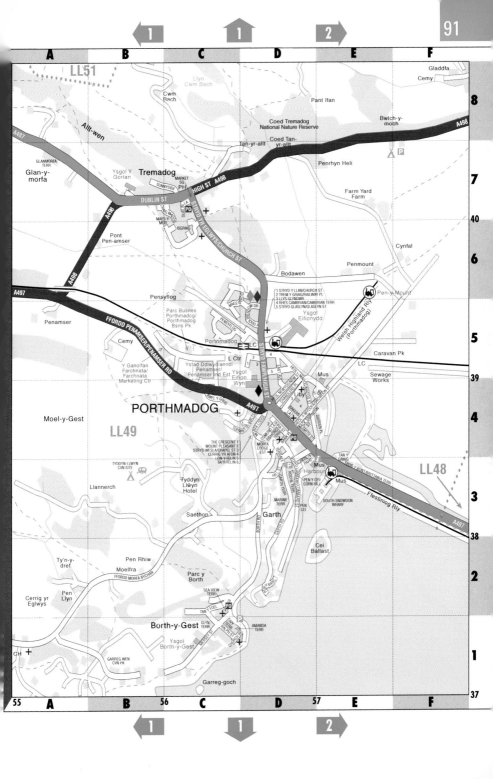

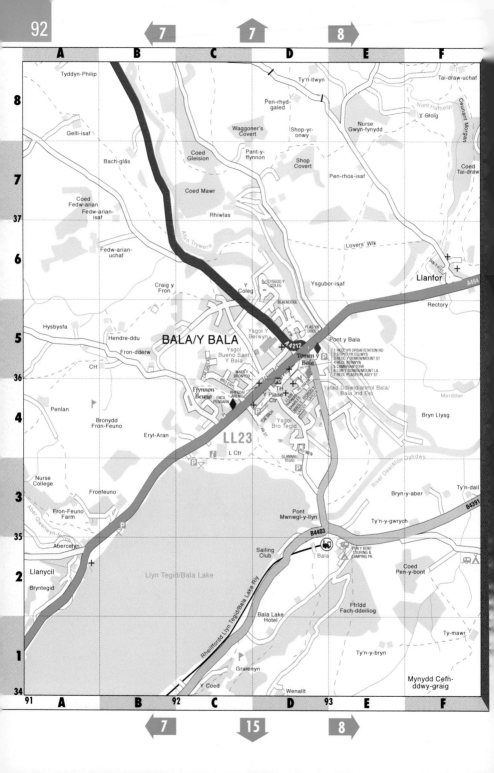

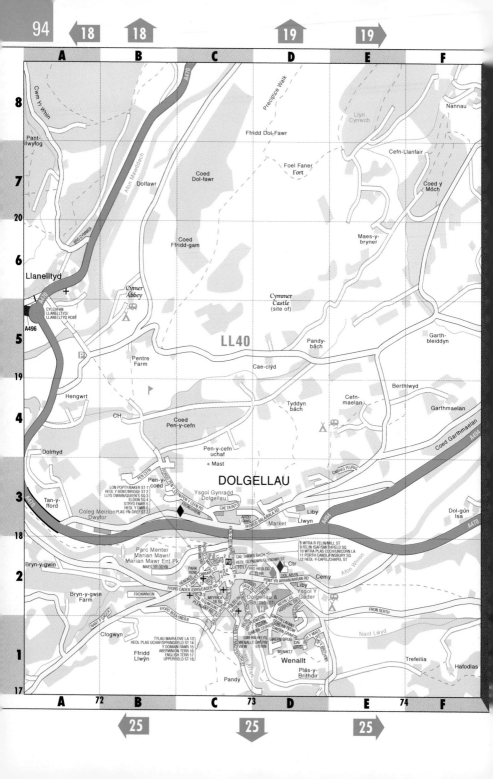

A   B   C   D   E   F

Llanaber
Caravan Park
A496
Tal-croesion
Ceilwart-ganol
Caravan Park
Plas Mynach
Pentre Bach
MAES MYNACH
Ysgol Y Traeth

Hendre-côed-uchaf
Ffridd Fechan
Ffridd Fechan
Hafotty
Ffridd y Graig

Ffridd Fechan

Bwlch y Llan

Mast

Llwyn Onn

Llwyn-gloddaeth

Gellfawr

LL42

Llwyn Onn

Craig y Gigfran

Ffynnon Llymysten (Spring)

Bwlch-y-goedleoedd

Glan-y-Mawddach

Cell-fechan

Garn

Panorama Walk

Viewpoint

A496

BLOOMFONTEIN TERR
MAESTEG
HAFAN DÂG
HANLITH TERR
1 EPWORTH TERR
2 VICTORIA PL
3 GLASFOR TERR
4 AILFOR TERR
5 BRYNMAWR TERR
FFRON FELIN TERR

Gorllwyn

Orielton Wood
Ffridd Gorllwyn

Libry
WATER ST
CAMBRIAN ST
IDRIS LA

Dinas Oleu

Porth Aberamffra
Coes-faen

BARMOUTH/
ABERMAW

Barmouth
LLYS DEDWYDD
CAMBRIAN CT
PLAS GWYN
ST ANNE'S SQ
GLODDFA SQ
L Ctr

JUBILEE RD
STRYD FAWR
KING EDWARD'S ST
BRYN YR EGLWYS

HARBOUR LA
GLANABER TERR

LB Sta

ABERMAW TERR
IRB Sta
RNLI Mus

Harbour

Barmouth Bridge

Ynys y Brawd

Ferry P (Summer only)

Foot Bridge (Toll)

Porth Penrhyn

Cerrig-y-gorllwyn

Fegla Fawr

Fairbourne Railway

LL42

LL39

LL38

South Bank

Morfa Mawddach

Mawddach Trail/
Morfa Mawddach

60   A   B   61   C   D   62   E   F   14

8
17
7
6
5
16
4
15
2
1

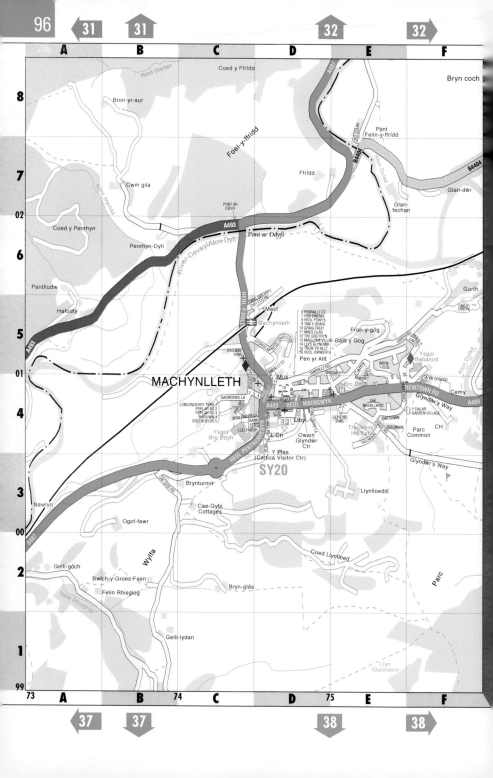

A B C D E F

8

Coed y Ffrîdd

Bryn coch

Bron-yr-aur

Foel-y-ffrîdd

Pont
Felin-y-ffrîdd

7

Ffrîdd

Glan-dŵr

PONT AR
DDYFI

Glan-
fechan

02

A493

Pont ar Ddyfi

6

Garth

Coed y Penrhyn

GARTH
CWM PK

Penrhyn-Dyfi

Pantlludw

Mast

Hafodty

Machynlleth

Fron-y-gôg

Gallt y Gog

Ysgol
Babanod

5

6 PENRALLT CT.
7 HEN SINEMA
8 HEOL POWYS
9 TAN-Y-GRAIG
10 GRAIG FACH
11 MAES GLAS
12 THE GRUTHYN
13 MAGLONA VILLAS
14 LLYS GLYNDWR
15 TREW YR ALLT
16 HEOL IORWERTH

Pen yr Allt

RAILWAY
TERR.

MACHYNLLETH

NEWTOWN RD

Cemy

01

A489

4

LONDONDERRY TERR. 1
POPLAR SQ 2
POPLAR RD 3
DÖRSIWN 4
GREENFIELDS 5

A489

1 Y DALAR
2 GARDEN VILLAGE

CH

Parc
Common

Ysgol
Bro Ddyfi

L Ctr

Owain
Glyndŵr
Ctr

Glyndŵr's Way

SY20

Y Plas
(Celtica Visitor Ctr)

Brynturnol

3

Llynlloedd

Cae-Gybi
Cottages

Ogof-fawr

00

Wylfa

Coed Llynlloed

Parc

2

Gelli-gôch

Bwlch-y-Groes-Faen

Bryn-glás

Felin Rhisglog

Nant Rhisglog

Gelli-lydan

1

Llyn
Glanmerin

99

73 A B 74 C D 75 E F

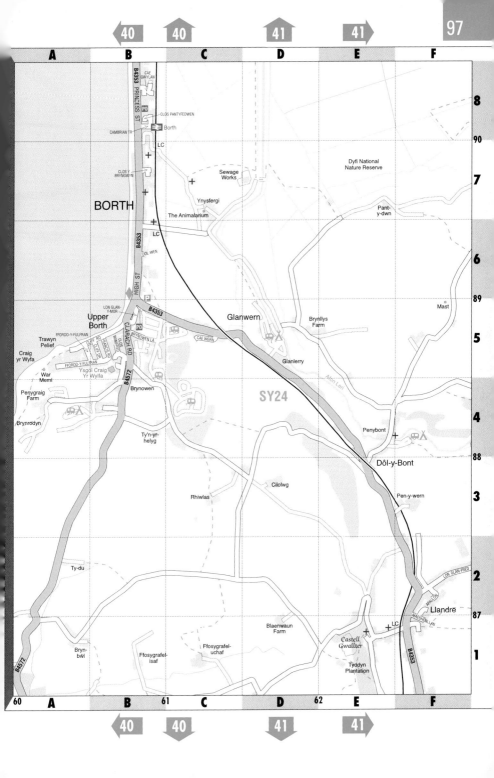

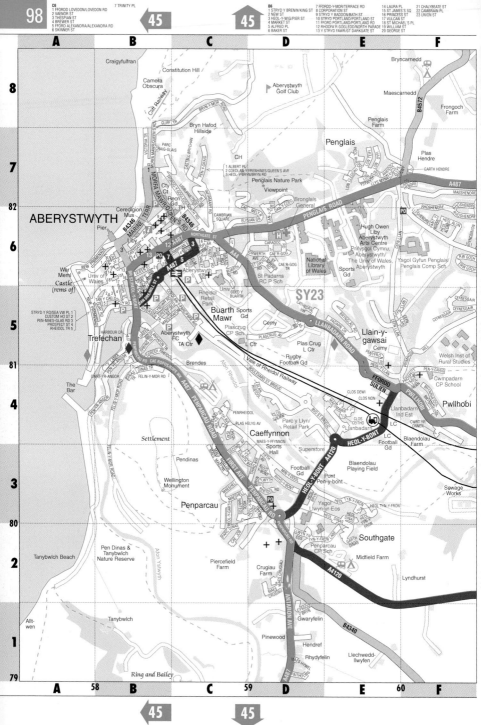

C6
1 FFORDD LOVEDON/LOVEDON RD
2 VAENOR ST
3 THESPIAN ST
4 BREWER ST
5 FFORD ALEXANDRA/ALEXANDRA RD
6 SKINNER ST

7 TRINITY PL

B6
1 STRYD Y BRENIN/KING ST
2 NEW ST
3 HEOL-Y-WIG/PIER ST
4 MARKET ST
5 ALFRED PL
6 BAKER ST

7 FFORDD-Y-MOR/TERRACE RD
8 CORPORATION ST
9 STRYD Y BADDON/BATH ST
10 STRYD PORTLAND/PORTLAND ST
11 FFORD PORTLAND/PORTLAND RD
12 RHODFA'R GOGLEDD/NORTH PARADE
13 Y STRYD FAWR/GT DARKGATE ST

14 LAURA PL
15 ST JAMES'S SQ
16 PRINCESS ST
17 VULCAN ST
18 ST MICHAEL'S PL
19 WILLIAM ST
20 GEORGE ST

21 CHALYBEATE ST
22 CAMBRAIN PL
23 UNION ST

ABERYSTWYTH

SY23

Penglais

Bryncarnedd

Maescarnedd

Frongoch Farm

Plas Hendre

Llain-y-gawsai

Pwllhobi

Welsh Inst of Rural Studies

Craigyfulfran

Constitution Hill

Camera Obscura

Aberystwyth Golf Club

Bryn Hafod Hillside

Penglais Farm

Garth Hendre

Cliff Railway

Penglais Nature Park Viewpoint

Ceredigion Mus

Pier

Castle (rems of)

War Meml

Univ of Wales

Trefechan

Rheidol Retail Park

Buarth Mawr

Aberystwyth FC TA Ctr

Brendes

The Bar

Settlement

Pendinas

Wellington Monument

Penparcau

Tanybwlch Beach

Pen Dinas & Tanybwlch Nature Reserve

Tanybwlch

Alltwen

Ring and Bailey

Piercefield Farm

Crugiau Farm

Pinewood

Hendref

Rhydyfelin

Gwaryfelin

Llechwedd-llwyfen

Lyndhurst

Midfield Farm

Southgate

Blaendolau Farm

Blaendolau Playing Field

Sewage Works

Caeffynnon

Parc y Llyn / Retail Park

Plas Helyg Av

Pont Pen-y-bont

Football Gd

Superstore

Llanbadarn Ind Est

Llanbadarn

Cwrt yr Graig

Cwmpadarn CP School

Cefnesgair

Hugh Owen Liby Aberystwyth Arts Centre Prifysgol Cymru, Aberystwyth/ The Univ of Wales Aberystwyth

Sports Gd

National Library of Wales

St Padarns RC P Sch

Cambrian Square

Elysian Gr

Bronglais General

Ysgol Gyfun Penglais/ Penglais Comp Sch

Plascrug CP Sch

L Ctr

Rugby Football Gd

Plas Crug L Ctr

Sports Gd

Cefy

Plascrug Av

Vale of Rheidol Railway

Aberystwyth

Ffordd Sulien

Ysgol Llwyn-yr-Eos

Penparcau CP Sch

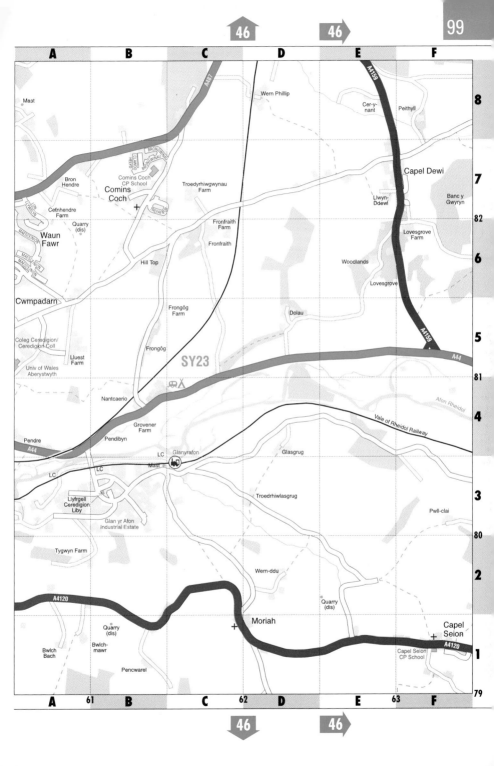

A B C D E F

8
7
82
6
5
81
4
3
80
2
1
79

Mast

Wern Phillip

Cer-y-nant
Peithyll

Capel Dewi

Bron Hendre
BRON-GWYN
CLAWDD HELYG
BRON-GWYNAU
Comins Coch CP School
Comins Coch
Troedyrhiwgwynau Farm
Llwyn-Ddewi
Banc y Gwyryn

Cefnhendre Farm

Fronfraith Farm

Lovesgrove Farm

Quarry (dis)

Fronfraith

Waun Fawr

Hill Top

Woodlands

MAESLLYN
MAES-HILL
MAES-LLYN

Cwmpadarn

Frongôg Farm

Dolau

Lovesgrove

Coleg Ceredigion/ Ceredigion Coll

Frongôg

SY23

Lluest Farm

Univ of Wales Aberystwyth

Afon Rheidol

Nantcaerio

Vale of Rheidol Railway

Grovener Farm

Glasgrug

Pendre
A44

Pendibyn

LC
Glanyrafon
LC
Mast

LC

LC

Troedrhiwlasgrug

Pwll-clai

Llyfrgell Ceredigion Liby

Glan yr Afon Industrial Estate

Tygwyn Farm

Wern-ddu

A4120

Quarry (dis)

Quarry (dis)

Moriah

Capel Seion

Capel Seion CP School
A4120

Bwlch Bach

Bwlch-mawr

Pencwarel

56
56

D7
1 PEN CEI/QUAY PARADE
2 CADWGAN/CADWGAN PL
3 LÔN GANOL/DRURY LA
4 HEOL Y FARCHNAD/MARKET ST
5 LÔN Y CASTELL/CASTLE LA
6 STRYD BUDDUG/VICTORIA ST

7 FFORDD Y GAER/REGENT ST
8 SGWAR ALBAN/ALBAN SQ
9 LÔN PENIEL/PENIEL LA
10 HEOL Y DWR/WATER ST
11 BRO YR HAFAN/BELLE VW TR
12 LÔN YR HAFAN/HARBOUR LA

D8
1 HEOL GAMBIA/SHIP ST
2 HEOL TUDOR/WATERLOO ST
3 STRYD Y TABERNACLE/TABERNACLE ST
4 HEOL FRENHINES/QUEEN ST
5 STRYD TYGLYN/OXFORD ST

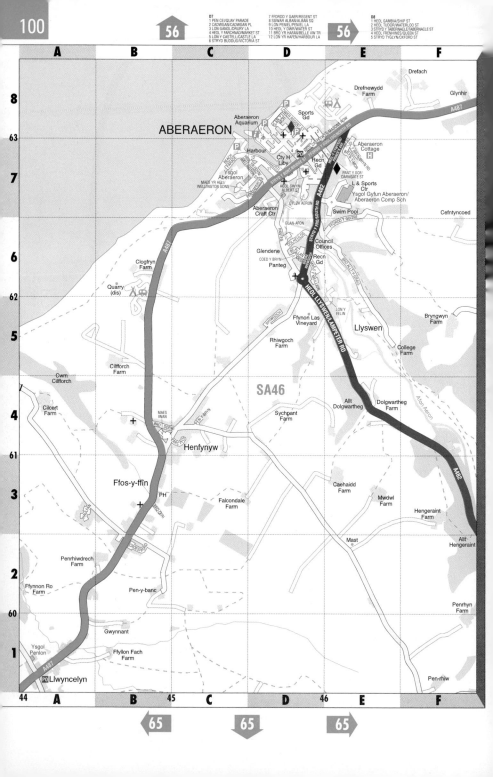

65
65
65

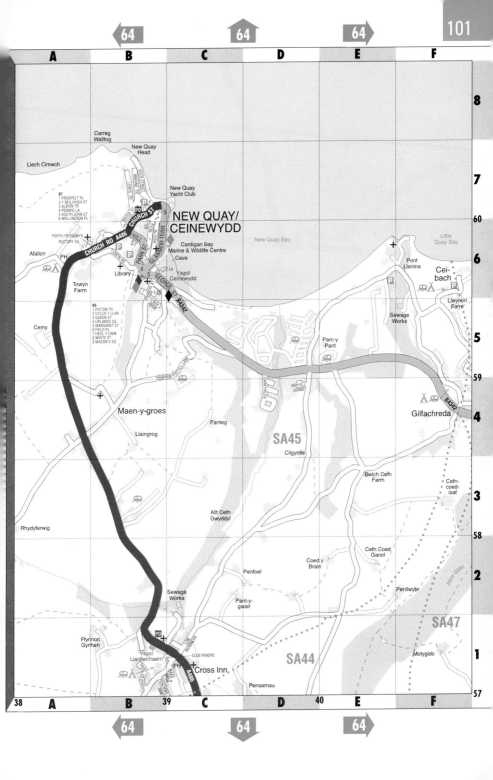

64   64   64

A   B   C   D   E   F

8

Carreg Walltog
New Quay Head
Llech Cimwch

7

B7
1 PROSPECT PL
2 Y BEILIMIGH ST
3 ALBION TR
4 PENWIG LA
5 SOUTH JOHN ST
6 WELLINGTON PL

New Quay Yacht Club

60

NEW QUAY/
CEINEWYDD

Porth-yr-Eglwys
Rectory Sq
Afallon
PH
CHURCH RD A486

New Quay Bay

Cardigan Bay
Marine & Wildlife Centre
Cave

Little Quay Bay

6

Library
Towyn Farm

Ysgol Ceinewydd

Pont Llanina

Cei-
bach

Llwynon Farm

B5
1 PICTON TR
2 CYLCH Y LLAN
3 QUEEN ST
4 UPLANDS SQ
5 MARGARET ST
6 FIELD PL
7 HEOL Y CWM
8 WHITE ST
9 MASON'S SQ

Cemy

GEORGE ST B4342

Sewage Works

Parc-y-Pant

5

59

Gilfachreda

Maen-y-groes

Panteg

Henyell Uchaf

B4342

4

Llaingrog

SA45

Cilgynlle

Rhydyferwig

Allt Cefn Gwyddyl

Bwlch Cefn Farm

Cefn-coed-isaf

3

58

Penfoel

Coed y Brain

Cefn Coed Ganol

Penilwybr

2

Pant-y-gwair

Afon Gido

SA47

Sewage Works

SA44

Motygido

1

Ffynnon Gynhen

Ysgol Llanllwchaern

Clos Pendre

PH
Cross Inn.
A486

Pensarnau

57

38   A   B   39   C   D   40   E   F

64   64   64

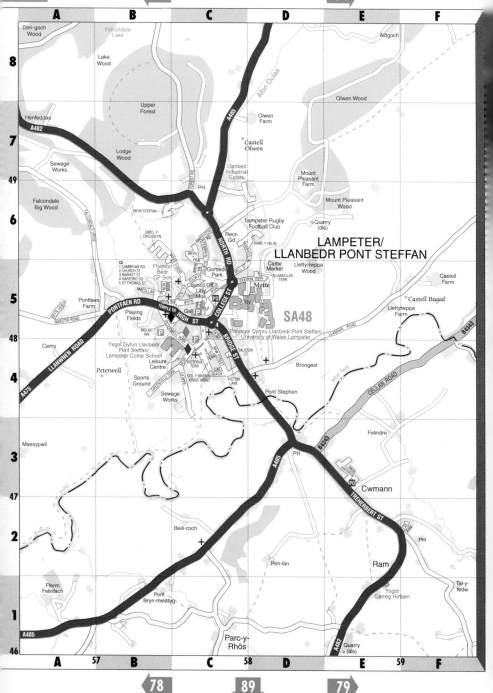

LAMPETER/
LLANBEDR PONT STEFFAN

SA48

A B C D E F

8

48

7

Pembrokeshire Coast Path

B4546

Carmarthenshire, Pembrokeshire & Swansea STREET ATLAS

6

47

5

SA43

Coronation Drive
B4548

Trwyn-yr-allt

Gotrel Farm

Gwbert Road

Mast

Trebared

Llwynpiod

Capel

New Mill

Tregibby Farm

Stepside Manor

Stepside Farm

Sports Gd

Leisure Centre

Playing Fields

Superstore

Aberystwyth Road

B4548

A487

D4
1 CHANCERY LA
2 WILLIAMS ROW
3 MORGAN ST
4 UPPER MWLDAN
5 EBENS LA
6 QUEEN'S TR
7 PRIORY ST
8 BATH HOUSE RD

Old Castle Farm

Old Castle

Cardigan Sec Sch

Theatre Mwldan

Parc Teifi Business Park

St Dogmaels/
Llandudoch

Sewage Works

Dolwerdd Farm

Guildhall &
Covered Market

Cardigan Prim Sch

Swimming Pool

C.A.B.

4

46

Ysgol Gynrad
Llandudoch

High St
Finch St

Afon Teifi

Recn Gd

Cemy

Pont-y-Cleifion

E4
1 FINCH'S SQ
2 WILLIAMS TERR

A484

B4570

Y Felin Mill

Bryn Onnen

St Dogmaels Rd

Cardigan Castle
(remains of)

Cardigan
Council & District
Offices

Priory Bridge

CARDIGAN/
ABERTEIFI

Abbey
(remains of)

TAN-Y-RHIW 1
CHURCH ST 2
SHINGRIG 3
ALLTFACH 4

Mwtchr
Farm

Cardigan
Heritage Centre

Bridgend

Cattle Market

Pentood
Industrial
Estate

Memorial

Teifi Marshes
Nature Reserve

3

Plas-
newydd

Golwg-y-Castell

D3
1 CARRIER'S LA
2 GLOSTER ROW
3 LOWER MWLDAN

Pentwd
Isaf

B4548

2

45

Mast

Bryngwyn
Farm

The Ridgeway

Quarry
(dis)

The Welsh
Wildlife Centre

Driscwm
Farm

Llys-y-
meidw

Parc-y-pratt
Farm

A487

A478

Afon Piliau

1

16   A   B   17   C   D   18   E   F

A487 Fishguard

Carmarthenshire, Pembrokeshire & Swansea STREET ATLAS

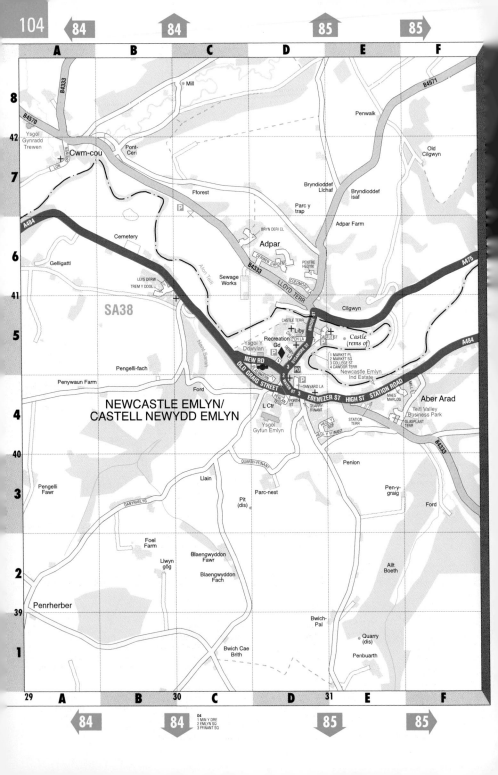

Church Rd **6** Beckenham BR2......... **53** C6

Place name	**Location number**	**Locality, town or village**	**Postcode**	**Page and**
May be abbreviated on the map	Present when a number indicates the place's position in a crowded area of mapping	Shown when more than one place has the same name	**district** District for the indexed place	**grid square** Page number and grid reference for the standard mapping

Public and commercial buildings are highlighted in magenta   **Places of interest** are highlighted in blue with a star*

Abbreviations used in the index

Acad	**Academy**	Comm	**Common**	Gd	**Ground**	L	**Leisure**	Prom	**Promenade**
App	**Approach**	Cott	**Cottage**	Gdn	**Garden**	La	**Lane**	Rd	**Road**
Arc	**Arcade**	Cres	**Crescent**	Gn	**Green**	Liby	**Library**	Recn	**Recreation**
Ave	**Avenue**	Cswy	**Causeway**	Gr	**Grove**	Mdw	**Meadow**	Ret	**Retail**
Bglw	**Bungalow**	Ct	**Court**	H	**Hall**	Meml	**Memorial**	Sh	**Shopping**
Bldg	**Building**	Ctr	**Centre**	Ho	**House**	Mkt	**Market**	Sq	**Square**
Bsns,Bus	**Business**	Ctry	**Country**	Hospl	**Hospital**	Mus	**Museum**	St	**Street**
Bvd	**Boulevard**	Cty	**County**	HQ	**Headquarters**	Orch	**Orchard**	Sta	**Station**
Cath	**Cathedral**	Dr	**Drive**	Hts	**Heights**	Pal	**Palace**	Terr	**Terrace**
Cir	**Circus**	Dro	**Drove**	Ind	**Industrial**	Par	**Parade**	TH	**Town Hall**
Cl	**Close**	Ed	**Education**	Inst	**Institute**	Pas	**Passage**	Univ	**University**
Cnr	**Corner**	Emb	**Embankment**	Int	**International**	Pk	**Park**	Wk, Wlk	**Walk**
Coll	**College**	Est	**Estate**	Intc	**Interchange**	Pl	**Place**	Wr	**Water**
Com	**Community**	Ex	**Exhibition**	Junc	**Junction**	Prec	**Precinct**	Yd	**Yard**

Translations Welsh – English

Aber	**Estuary, confluence**	Cwm	**Valley**	Lôn	**Lane**	Rhiw	**Hill, incline**
Afon	**River**	Cwrt	**Court**	Maes	**Open area, field, square**	Rhodfa	**Avenue**
Amgueddfa	**Museum**	Dinas	**City**			Sgwâr	**Square**
Bro	**District, area**	Dôl	**Meadow**	Môr	**Sea**	Stryd	**Street**
Bryn	**Hill**	Eglwys	**Church**	Mynydd	**Mountain**	Swyddfa post	**Post office**
Cae	**Field**	Felin	**Mill**	Oriel	**Gallery**	Tref, Tre	**Town**
Caer	**Fort**	Fferm	**Farm**	Parc	**Park**	Tŷ	**House**
Canolfan	**Centre**	Ffordd	**Road, way**	Parc busnes	**Business park**	Uchaf	**Upper**
Capel	**Chapel**	Gelli	**Grove**	Pen	**Top, end**	Ysbyty	**Hospital**
Castell	**Castle**	Gerddi	**Gardens**	Pentref	**Village**	Ysgol	**School**
Cilgant	**Crescent**	Gorsaf	**Station**	Plas	**Mansion, place**	Ystad, stad	**Estate**
Clòs	**Close**	Heol	**Road**	Pont	**Bridge**	Ystad ddiwydiannol	**Industrial estate**
Coed	**Wood**	Isaf	**Lower**	Prifysgol	**University**		
Coleg	**College**	Llan	**Church, parish**	Rhaeadr	**Waterfall**	Ystrad	**Vale**
		Llyn	**Lake**	Rhes	**Terrace, row**		

Translations English – Welsh

Avenue	**Rhodfa**	Estuary	**Aber**	Mansion	**Plas**	Station	**Gorsaf**
Bridge	**Pont**	Farm	**Fferm**	Meadow	**Dôl**	Street	**Stryd**
Business	**Parc busnes**	Field	**Cae**	Mill	**Felin**	Terrace	**Rhes**
Park		Fort	**Caer**	Mountain	**Mynydd**	Top, end	**Pen**
Castle	**Castell**	Gallery	**Oriel**	Museum	**Amgueddfa**	Town	**Tref, tre**
Centre	**Canolfan**	Gardens	**Gerddi**	Parish	**Plwyf eglwys, llan,**	University	**Prifysgol**
Chapel	**Capel**	Grove	**Gelli**			Upper	**Uchaf**
Church	**Eglwys**	Hill	**Bryn, rhiw**	Park	**Parc**	Vale	**Ystrad, glyn, dyffryn**
City	**Dinas**	Hospital	**Ysbyty**	Place	**Plas, maes**		
Close	**Clòs**	House	**Tŷ**	Post office	**Swyddfa post**	Valley	**Cwm**
College	**Coleg**	Industrial estate	**Ystad ddiwydiannol**	River	**Afon**	Village	**Pentref**
Court	**Cwrt**			Road	**Heol, ffordd**	Waterfall	**Rhaeadr**
Crescent	**Cilgant**	Lake	**Llyn**	School	**Ysgol**	Way	**Ffordd**
District	**Bro**	Lane	**Lôn**	Sea	**Môr**	Wood	**Coed**
Estate	**Ystad, stad**	Lower	**Isaf**	Square	**Sgwâr, maes**		

High St / Y Stryd Fawr LL23 92 D4
High Terr SA45 101 B6
Hillsborough Terr SY20 32 A7
Hillside Est SY23 45 E6
Hill St Newquay SA45 101 B6
Porthmadog LL49 91 D3
Hilltop Way SA43 73 C7
Hoel Aran LL23 14 F4
Hoel Feurig / Meyrick St LL40 94 C2
Hoel-y-Parc LL49 91 D3
Hopeland Rd LL35 35 F3
Hwylfa Lydan LL44 16 E7
Hwylfar Nant LL46 93 E6
Hyfrydle SY25 68 E2

I

Idris La LL42 95 D4
Idris St SY20 32 B6
Idris Terr SY20 32 A7
Idris Villas LL36 35 C7
Infirmary Rd SY23 98 C7
Internal Fire Mus of Power* SA43 74 B4
Iorwerth Ave SY23 98 C6
Isgraig LL49 91 C6
Islawrffordd Cvn Pk LL43 16 E4
Ivy Terr LL49 91 C1

J

James Cl SY23 57 B6
Jubilee Rd LL42 95 C4

K

King Edward's St LL42 95 C5
Kings Cres / Ffordd Dyrpac LL42 95 C5
Kings Mead / Dol Y Brenin SA48 102 C4
King St SA44 86 E3
King St / Stryd Y Brenin [1] SY23 98 B6

L

Lady Rd SA43 73 D3
Lampeter Comp Sch / Ysgol Gyfun Llanbedr Pont Steffan SA48 102 B4
Lampeter Leisure Ctr SA48 102 B4
Lampeter Rd SY25 69 A6
Lampeter Rd / Heol Llyswen SA46 100 D6
Laura Pl [14] SY23 98 B6
Lawnt Y Plas SY20 27 D6
Lewis St SA44 86 E3
Lewis Terr SA45 101 B7
Lincoln St [5] SA44 86 E3
Lion St LL40 94 C2
Lisburne Rd SY25 60 F5
Lisburne Terr SY23 98 C7
Llain Activity Ctr* SA47 64 F6
Llain Thomas Charles LL23 92 D4
Llain Yr Eglwys LL48 2 D5
Llanarth Pottery* SA47 65 A5
Llanbadarn Ind Est SY23 98 F4
Llanbadarn Rd SY23 98 D5
Llanbed Ind Est SA48 102 C7
Llanbedr Prim Sch LL45 10 A1
Llanbedr Sta LL45 9 F1
Llandanwg Sta LL46 9 F3
Llandecwyn Sta LL47 2 D4
Llandysul CP Sch SA44 86 E3
Llandysul Swimming Pool SA44 86 E3
Llanegryn St LL36 30 F6
Llanelltyd Rdbt / Cylchfan Llanelltyd LL40 94 A5
Llanerchaeron* SA48 65 F7
Llanfachreth Sch / Ysgol Llanfachreth LL40 19 D5
Llanfair Rd SA48 102 E5
Llanfair Slate Caverns* LL46 10 A3
Llangower Sta* LL23 15 C7
Llanuwchllyn Sta* LL23 15 A5
Llanwnen Rd SA48 102 A4
Llanwnnen CP Sch SA40 78 A2
Llanybydder Cty Prim Sch SA40 88 D6
Llanycrwys CP Sch SA19 90 D7
Lledfair Pl SY20 96 D4
Llewelyn Cl LL36 35 C7
Llewelyn Dr LL38 23 D4
Llewelyn Rd LL36 35 C7
Llewelyn Wlk LL36 35 C7
Llon Cardi Bach [2] SA43 83 A5
Lloyd Terr SA38 104 D6
Llugwy Estates SY20 37 D7
Llwybr Y Llan LL23 7 A5
Llwyn-Einion LL41 3 E6
Llwyngwril Sta LL37 29 C8
Llwyn-teg Cvn Pk LL36 29 E2
Llwyn-y-Gadair LL46 93 D1
Llwyn Ynn LL43 16 F5
Llwyn Yr Eos SY23 98 D2
Llyn Eiddwen National Nature Reserve* SY23 58 F5
Llynlloedd La SY20 96 D4
Llyn Mair Nature Trail* LL41 3 B8
Llyn Y Fran SA44 86 E4

Llys = court

Llys Conwy SY23 98 E7
Llys Dedwydd LL42 95 C4
Llys Derw SA38 104 B6
Llys Glyndwr
Machynlleth SY20 96 D4
Porthmadog LL49 91 D5
Llyshendre SY23 98 F6
Llys Mynach SY23 98 E7
Llys Owain / Queen's Sq LL40 94 C2
Llys Owen SA43 103 D4
Llys yr Efail SY20 96 E4
Llywernog Silver-Lead Mine* SY23 48 A4
Lombard St / Stryd Lombard LL49 91 D3
Lombard St / Y Lawnt LL40 94 C2
Lon Bele SA44 86 F7
Lon Caron SY25 69 B7
Lon Channing [7] SA44 86 E3
Lon Cleddau SY23 98 E7
Londonderry Terr SY20 96 C4
London Terr LL49 2 A8
Lon Drewen SA38 104 A7
Lon Dyfi SY23 98 E7
Lon Fedwen [8] SA44 86 E3
Lon Ganol / Drury La [3] SA46 100 D7
Longdown St SA43 103 B2
Lon Glan-Fred SY24 97 F2
Lon Glan-y-Mor SY24 97 B5
Lon Hendre SY23 98 F7
Lon Letty [3] SA44 86 E3
Lon Llywelyn SY23 99 A7
Lon Peniel / Peniel La [9] SA46 100 D7
Lon Popty / Baker St LL40 94 C2
Lon Rhydalen SA45 101 C1
Lon Rhydygwin SY23 51 A7
Lon Teifi SY23 98 E7
Lon Ty Llwyd SY23 51 B8
Lon Y Castell / Castle La [5] SA46 100 D7
Lon Y Domen / Mount La LL23 92 D5
Lon Y Felin
Aberaeron SA46 100 E5
Llanllwchaiarn SA44 64 C2
Lon-y-Felin LL49 91 D4
Lon Yr Hafen / Harbour La [12] SA46 100 D7
Lon Yr Yscol SA43 73 E5
Lon Ystwyth SY23 98 E7
Lovedon Rd / Ffordd Lovedon [1] SY23 98 C6
Love La / Tylau Mair LL40 94 C2
Lower Cwrt SY20 37 A7
Lower Mwldan [3] SA43 103 D3
Lower Regent St SA46 100 D8
Lynne Brianne Visitor Ctr* SA20 82 D3

M

Machynlleth Music Festival (Mus)* SY20 96 D4
Machynlleth Sta SY20 96 C5
Madog Motor Mus* LL49 91 E4
Madog St / Heol Madog LL49 91 D4
Maengwyn St
[3] Trawsfynydd LL41 4 A2
Tywyn LL36 35 C7
Maes Aeron SA48 66 B6
Maes Afallen SY24 46 B8
Maesafallon SY20 38 E7
Maesamlwg SY25 69 A6
Maes A Mor SA45 101 C1
Maes Arto Village* LL45 10 A1
Maesbrith LL40 94 D2
Maesceinion SY23 99 A6
Maes Crugiau SY23 98 D2
Maes Dafydd [4] SA47 64 F4
Maes Dyfi SY20 96 D4
Maesegryn LL36 29 D4
Maes Gerddi LL49 91 D6
Maesglas SA43 103 E5
Maes Glas SY20 96 D4
Maes Gwndwn LL47 2 D2
Maes Gwyndy [8] LL41 4 A2
Maesheli SY23 98 C3
Maeshendre SY23 98 F7
Maes Hendre LL48 2 C5
Maes-henffordd SA43 103 E5
Maeshenllan SY24 97 F1
Maesheulog SY23 46 D6
Maeshyfryd Bryncrug LL36 29 F2
St Dogmaels/Llandudoch SA43 103 A4
Maes Hywel SY23 98 D1
Maes Idris LL36 35 B8
Maes Isfryn SY23 51 B8
Maes Iwan SA46 100 B4
Maesllan SA48 102 B5
Maesllawddog [1] SA43 83 A5
Maes Maelor SY23 98 C3
Maes Marlog SA38 104 E4
Maesmawr SY23 98 E4
Maes Mihangel LL47 2 B2
Maesmynach
Cardigan/Aberteifi SA43 103 B3
Llanfihangel Ystrad SA48 78 A5
Maes Mynach LL42 95 B5
Maesnewydd
Aberdovey / Aberdyfi LL35 35 F3
Machynlleth SY20 96 E5
Maes Newydg LL36 35 B7
Maes Seilo SY23 46 D7
Maesteg LL42 95 B5
Maes Teg Minffordd LL48 2 C5
Pennal SY20 37 C7
Maes Tegid LL23 92 D4
Maestir Rd SA48 102 A5
Maes Trefor LL47 2 D2
Maes Y Bronydd LL23 92 C5
Maesycoed SA43 103 E6
Maesycoed Rd SA48 102 C6
Maesydderwen SA38 84 B4
Maes-y-Dderwen [2] SY19 34 D1
Maes-y-Deri
Ceulanamaesmawr SY24 41 E4
Lampeter/Llanbedr Pont Steffan SA48 102 B6
Maesyfelin SA48 102 C6
Maes Y Felin
[2] Ceulanamaesmawr SY24 41 E4
Trefeurig SY23 46 D7
Maes-y-Ffynnon SY23 98 D4
Maes Y Garddi LL23 92 D4
Maes Y Garn SY24 46 B8
Maes-y-Garth
Machynlleth SY20 96 F5
Minffordd LL48 2 B5
Maes-y-Grug LL36 29 E1
Maes-y-Llan SY20 32 B6
Maes Y Meillion SA46 100 D6
Maes-y-Mor LL49 91 C6
Maes Y Neuadd [5] SA43 83 A5
Maes-y-Pandy LL23 14 F4
Maes Y Pandy / South St LL40 94 C1
Maes Y Priordy LL23 8 E4
Maesyrafon SY23 98 B5
Maesyrawel SY25 69 A6
Maes-yr-Efail SY19 34 D1
Maesyrhaf SA43 103 E4
Maes-yr-Heli LL36 35 B7
Maes Yr Heli / Wellington Gdns SA46 100 C7
Maesyrodyn SA44 87 A8
Maes Yr Odyn LL40 94 B2
Maes Yr Orsaf
Aberllefenni SY20 32 C8
[4] Cilgerran SA43 83 A5
Maethlon Cl LL36 35 C7
Maglona Villas SY20 96 D4
Main Rd LL49 1 C4
Manordeifi C in W VC Sch SA37 83 E2
Marconi Bglws LL36 35 D7
Margaret St [5] SA45 101 B6
Marian Mawr Ent Pk / Parc Menter Marian Mawr LL40 94 B2
Marian Rd / Ffordd-y-Marian LL40 94 C2
Marian Terr SY20 37 B7
Marina Ave LL38 23 D3
Marine Ct LL36 35 B7
Marine Gdns LL42 95 B5
Marine Par
Barmouth / Abermaw LL42 95 B5
Tywyn LL36 35 B7
Marine Rd LL42 95 C4
Marine Terr
Aberystwyth SY23 98 B6
Newquay SA45 101 B7
Porthmadog LL49 91 D3
Market La SA43 103 D4
Market Pl Llanwenog SA40 88 C6
Newcastle Emlyn/Castell Newydd Emlyn SA38 104 D5
Market Sq
Newcastle Emlyn/Castell Newydd Emlyn SA38 104 D5
Tremadog LL49 91 C7
Market St
[4] Aberystwyth SY23 98 B6
[3] Lampeter/Llanbedr Pont Steffan SA48 102 C5
Market St / Heol Y Farchnad [4] SA46 100 D7
Martha Cae [1] SA47 64 F4
Mary Jones' Chapel* LL36 30 F7
Mary Jones Memorial* LL36 30 F8
Masons Row / Heol Crefftwyr SA46 100 D7
Mason's Sq [9] SA45 101 B6
Mawddach Cres LL39 23 F5
Mawddach Trail / Morfa Mawddach* LL39 95 F1
Mawddach Valley Nature Reserve* LL40 18 D1
Mawddwy Cotts SY20 27 D5
MawddwyTerr SY20 27 D5
Mawnog Fach LL23 92 C4
Meadow Dr / Y Ddol LL49 91 D5
Meirion Terr LL37 29 D8
Meirion Woollen Mill* SY20 27 D4
Melin Ardudwy LL35 35 E3
Melin-y-Coed SA43 103 E6
Melin Y Dre SA43 103 D5
Mersey St LL49 91 C1
Meyrick Sq LL40 94 C2
Meyrick St / Hoel Feurig LL40 94 C2
Middle Mwldan SA43 103 D4
Mill St
Lampeter/Llanbedr Pont Steffan SA48 102 C5
Newcastle Emlyn/Castell Newydd Emlyn SA38 104 F4
St Dogmaels/Llandudoch SA43 103 B3
Ystrad Fflur SY25 61 A5
Mill St / Dan Dre SY23 98 B5
Mill St / Wtra R Felin LL40 94 C2
Millview Rd SA44 63 B3
Min-afon LL40 20 C5
Minffordd St SY20 32 B6
Minffordd Sta* LL48 2 B5
Min-y-Ddol
Aberystwyth SY23 98 D3
Llanwrin SY20 32 E2
Min Y Dre [1] SA38 104 D4
Min-y-Traeth LL48 2 B5
Mochras (Shell Island)* LL45 9 D1
Moelfre Terr LL45 10 A1
Moelfre View Cvn Pk LL43 16 E4
Monks Vale Rd / Ffordd Bro Mynach LL42 95 B6
Moorings The SA43 103 A5
Moor La SY23 98 C6
Morben-isaf Cvn Pk SY20 37 C5
Morfa Cres LL36 35 B8
Morfa Dyffryn National Nature Reserve* LL44 16 C7
Morfa Gaseg LL48 2 D8
Morfa Harlech National Nature Reserve* LL47 1 E1
Morfa Lodge LL49 91 D4
Morfa Lodge Est LL49 91 D4
Morfa Mawddach / Mawddach Trail* LL39 95 F1
Morfa Mawddach Sta LL39 95 F1
Morfa Mawr / Queen's Rd SY23 98 B7
Morgan St [3] SA43 103 D4
Mount La / Lon Y Domen LL23 92 D5
Mount Pleasant LL49 91 D4
Mount Pleasant Rd / Bryn Teg LL40 94 C2
Mount Pleasant View SY23 57 B2
Mount St / Heol Y Domen LL23 92 D5
Mount Wlk SA48 102 B5
Museum of Mechanical Magic* SY19 34 D2
Mwtshwr SA43 103 B3
Mydroilyn CP Sch SA48 65 C2
Mynach Rd / Ffordd Mynach LL42 95 B6
Mynydd Isaf LL35 35 F3

N

Nant Gwernol Forest Wlk* LL36 31 A5
Nant Gwernol Sta* LL36 31 A5
Nantiesyn LL35 36 A3
Nant Irfon National Nature Reserve* LD5 71 F1
Nant Seilo SY23 46 D6
Nant Y Berllan SA43 103 A5
Nant Y Gader LL40 94 B1
Napier Gdns SA43 103 E4
Napier St SA43 103 D4
Narrow Gauge Railway Mus The* LL36 35 C7
National Coracle Ctr* SA38 84 B4
National St LL36 35 C7
National Woollen Mus* SA44 85 E2
Nazareth Terr LL48 2 C6
Neptune Hall Cvn Pk LL36 35 C7
Neptune Rd / Ffordd Neifion LL36 35 C7
Netpool Rd SA43 103 C4
Neuadd Cross SA43 73 D1
Newcastle Emlyn Ind Est SA38 104 E5
New Cotts LL40 18 D1
New Mill Rd / Heol Felin Newydd SA43 103 F6
New Precipice Wlk* LL40 18 E2
New Prom SY23 98 A5
New Quay Honey Farm* SA44 64 C3
New Rd [1] Llandysul SA44 86 E3
Newcastle Emlyn/Castell Newydd Emlyn SA38 104 C5
New St
Aberdovey / Aberdyfi LL35 35 F3
[2] Aberystwyth SY23 98 B6
Lampeter/Llanbedr Pont Steffan SA48 102 C4
New St *continued*
Machynlleth SY20 96 D4
New St / Heol Newydd LL49 91 D4
Newtown Rd
Cadfarch SY20 38 C7
Machynlleth SY20 96 F4
Noddfa [8] LL48 2 D6
North Ave LL42 95 B5
Northfield Rd LL42 95 C5
Northgate St SY23 98 C6
North Par / Rhodfa'r Gogledd [12] SY23 98 B6
North Rd
Cardigan/Aberteifi SA43 103 D4
Lampeter/Llanbedr Pont Steffan SA48 102 C6
Llangynfelyn SY20 41 E7
North Rd / Ffordd Y Gogledd SA46 100 E7
North Rd / Ffordd-y-Gogledd SY23 98 B7
Norwood Gdns* SA39 88 A3

O

Old Castle Rd SA43 103 B4
Old Graig St SA38 104 C5
Osmond La LL49 91 D4
Osmond Terr
Minffordd LL48 2 B5
Porthmadog LL49 91 D4
Osmund Terr LL48 2 C6
Otter Trail* LL23 7 B7
Owain Glyndwr Ctr (Mus)* SY20 96 D4
Oxford St / Stryd Tyglyn [5] SA46 100 D8

P

Padarn Cres SY23 98 E5
Paitholwg SY23 98 D1
Pandy Cvn Pk LL43 16 E4
Pandy Rd SY19 34 E2
Pandy Sq LL36 30 F5
Panorama Walk* LL42 95 F5
Panorama Wlk LL35,LL36 36 B4
Panteg SA46 100 D6
Panteidal Chalet Pk LL35 36 E4
Pant Heulog [2] LL48 2 D6
Pantycelyn SY23 57 E3
Pant-y-celyn LL41 4 A3
Pant Y Gof / Darkgate St SA46 100 E7
Pant Y Rhos SY23 98 F6
Pant-yr-Onnen LL46 93 D2
Parc Bron Y Graig LL46 93 E4
Parc Busnes Eryri / Snowdonia Bus Pk LL48 2 C5
Parc Busnes Porthmadog / Porthmadog Bsns Pk LL49 91 C5
Parc Craig-Glais SY23 98 B7
Parc Dinas SY23 98 C2
Parc Eco Dyfi / Dyfi Eco Pk SY20 96 C5
Parc Ffos SA46 100 B4
Parcgweydd Hill SA43 83 F6
Parc Gwyrdd LL36 29 E1
Parc Menter Marian Mawr / Marian Mawr Ent Pk LL40 94 B2
Parc Noi SA43 103 A4
Parc Teifi SA43 103 F4
Parc Teifi Bsns Pk SA43 103 F4
Parc-y-Delyn SA43 73 C7
Parc Y Felin SA48 102 D6
Parc y Llethrau LL35 35 F3
Parc Yr Efail SA45 101 B1
Parc-yr-Ynn SA44 86 E4
Park Ave SA43 103 E5
Park Ave / Coedlan-y-Parc SY23 98 B5
Park Dulas SY20 32 B5
Park Rd
Barmouth / Abermaw LL42 95 C5
[9] Penrhyndeudraeth LL48 2 D6
Park Row LL40 94 C2
Park St SA45 101 B6
Park Terr [11] LL48 2 D6
Penamser Ind Est / Ystad Ddiwydiannol Penamser LL49 91 C5
Penamser Rd / Ffordd Penamser LL49 91 B5
Penbryn SA48 102 C6
Penbrynglas LL40 94 C2
Pen Cefn LL40 94 B3
Pen Cei LL49 91 D3
Pen CE / Quay Par [1] SA46 100 D7
Pencnwc Isaf SA45 101 B1
Pen Dinas & Tanybwlch Nature Reserve* SY23 98 B2
Pendre SA43 103 D4
Pen Dref LL46 93 E5
Pendre Ind Est LL36 35 D8
Pendre Wlk LL36 35 B7
Pendych St SY25 68 F2
Penffordd SY23 51 A8
Penglais Comp Sch / Ysgol Gyfun Penglais SY23 98 F6

Addresses

Name and Address	Telephone	Page	Grid reference

Name and Address	Telephone	Page	Grid reference

Addresses

Name and Address	Telephone	Page	Grid reference

Any feature in this atlas can be given a unique reference to help you find the same feature on other Ordnance Survey maps of the area, or to help someone else locate you if they do not have a Street Atlas.

The grid squares in this atlas match the Ordnance Survey National Grid and are at 500 metre intervals. The small figures at the bottom and sides of every other grid line are the National Grid kilometre values (**00** to **99** km) and are repeated across the country every 100 km (see left).

To give a unique National Grid reference you need to locate where in the country you are. The country is divided into 100 km squares with each square given a unique two-letter reference. Use the administrative map to determine in which 100 km square a particular page of this atlas falls.

The bold letters and numbers between each grid line (**A** to **F**, **1** to **8**) are for use within a specific Street Atlas only, and when used with the page number, are a convenient way of referencing these grid squares.

Example   *The railway bridge over DARLEY GREEN RD in grid square B1*

Step 1: Identify the two-letter reference, in this example the page is in **SP**

Step 2: Identify the 1 km square in which the railway bridge falls. Use the figures in the southwest corner of this square: Eastings **17**, Northings **74**. This gives a unique reference: **SP 17 74**, accurate to 1 km.

Step 3: To give a more precise reference accurate to 100 m you need to estimate how many tenths along and how many tenths up this 1 km square the feature is (to help with this the 1 km square is divided into four 500 m squares). This makes the bridge about **8** tenths along and about **1** tenth up from the southwest corner.

This gives a unique reference: **SP 178 741**, accurate to 100 m.

Eastings (read from left to right along the bottom) come before Northings (read from bottom to top). If you have trouble remembering say to yourself "Along the hall, THEN up the stairs"!

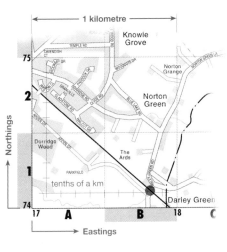

PHILIP'S MAPS

the Gold Standard for serious driving

- ◆ Philip's street atlases cover every county in England and Wales, plus much of Scotland.

- ◆ All our atlases use the same style of mapping, with the same colours and symbols, so you can move with confidence from one atlas to the next

- ◆ Widely used by the emergency services, transport companies and local authorities.

- ◆ Created from the most up-to-date and detailed information available from Ordnance Survey

- ◆ Based on the National Grid

BEST BUY • BEST BUY
Auto EXPRESS
BEST BUY • BEST BUY

STREET ATLAS **London**
STREET ATLAS **Devon**
STREET ATLAS **Norfolk**
STREET ATLAS **Cumbria**

BRITAIN'S MOST DETAILED ROAD ATLAS
PHILIP'S
NAVIGATOR
Britain

For national mapping, choose **Philip's Navigator Britain** – the most detailed road atlas available of England, Wales and Scotland. Hailed by Auto Express as 'the ultimate road atlas', this is the only one-volume atlas to show every road and lane in Britain.

Currently available street atlases

England
Bedfordshire
Berkshire
Birmingham and West Midlands
Bristol and Bath
Buckinghamshire
Cambridgeshire
Cheshire
Cornwall
Cumbria
Derbyshire
Devon
Dorset
County Durham and Teesside
Essex
North Essex
South Essex
Gloucestershire
North Hampshire
South Hampshire
Herefordshire Monmouthshire
Hertfordshire
Isle of Wight
East Kent
West Kent
Lancashire
Leicestershire and Rutland
Lincolnshire
London
Greater Manchester
Merseyside
Norfolk
Northamptonshire
Nottinghamshire
Oxfordshire
Shropshire
Somerset
Staffordshire

All England and Wales coverage

Suffolk
Surrey
East Sussex
West Sussex
Tyne and Wear Northumberland
Warwickshire
Birmingham and West Midlands
Wiltshire and Swindon
Worcestershire
East Yorkshire
Northern Lincolnshire
North Yorkshire
South Yorkshire
West Yorkshire

Wales
Anglesey, Conwy and Gwynedd
Cardiff, Swansea and The Valleys
Carmarthenshire, Pembrokeshire and Swansea
Ceredigion and South Gwynedd
Denbighshire, Flintshire, Wrexham
Herefordshire Monmouthshire
Powys

Scotland
Aberdeenshire
Ayrshire
Edinburgh and East Central Scotland
Fife and Tayside
Glasgow and West Central Scotland
Inverness and Moray

How to order

Philip's maps and atlases are available from bookshops, motorway services and petrol stations. You can order direct from the publisher by phoning **01903 828503** or online at **www.philips-maps.co.uk** For bulk orders only, phone 020 7644 6940